シッカート夫人
ウォルター・シッカートの曾祖母
テイト・ギャラリー・アーカイヴ、
写真コレクション

エリノア・ルイザ・モラヴィア・ヘンリー
ウォルター・シッカートの母
1911 年
テイト・ギャラリー・アーカイヴ、
写真コレクション

オズワルド・アダルバート・
シッカート
ウォルター・シッカートの父
テイト・ギャラリー・アーカイヴ、
写真コレクション

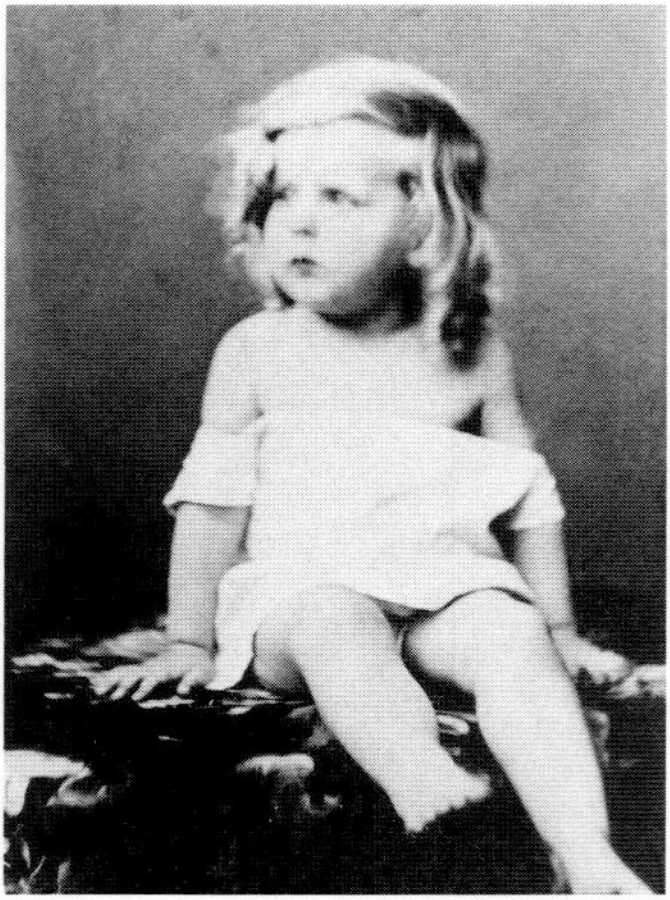

亜麻色の巻き毛のウォルター・
シッカート、2歳。1862年頃
テイト・ギャラリー・アーカイヴ、
写真コレクション

ウォルター、9 歳。
三度の手術の後で。1869 年頃
テイト・ギャラリー・アーカイヴ、
写真コレクション

俳優ウォルター、20 歳。
巡業先のリヴァプールで
テイト・ギャラリー・アーカイヴ、
写真コレクション

「切り裂きジャック」の最初の妻、エレン・コブデン。父親は著名な政治家だった。1899 年にシッカートと離婚している

コブデン家ならびにウエスト・サセックス文書館の協力による

ウォルター、24 歳。ジェイムズ・マクニール・ホイッスラーの弟子だった 1884 年頃

テイト・ギャラリー・アーカイヴ、写真コレクション

シッカートの自画像の一つ。いくつもの顔を持つシッカートの一面

オックスフォード、アシュモリアン美術館

女性を刺し殺そうとしている男のスケッチ。2 枚目は、暴漢が女性に襲いかかっているところ。2 点ともウォルターの父でプロの画家であるオズワルド・シッカートのコレクションから。だがウォルター・シッカートが若いころに描いたものという説もある
ロンドン、イズリントン公立図書館コレクション

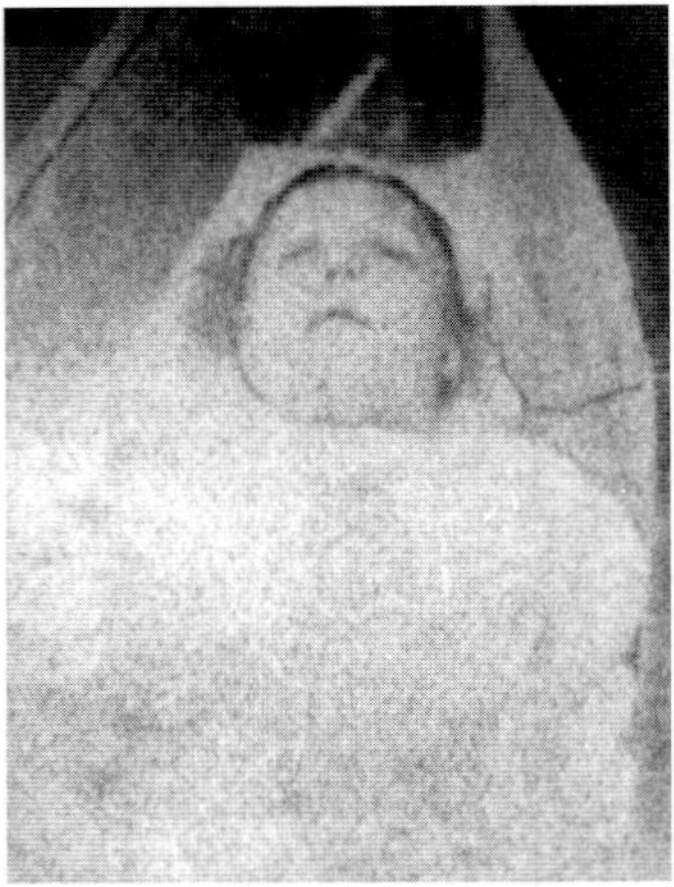

第二の犠牲者メアリ・アン・ニコルズ。検屍の後、死体置場で撮られた写真。傷跡は慎重に覆い隠されている

©ロンドン公文書館

シッカートのスケッチ「ヴェニスの女の頭部」はメアリ・アン・ニコルズの死に顔を思い起こさせる。彼女の死体が発見された時、その目は大きく見開かれていた

現在オリジナルの所在は不明

死体置場のアニー・チャップマン。むごたらしい傷跡はおおわれていて見えない。切り裂きジャックのよく知られた5件の殺人（彼はこれらのほかにも殺人をおかしている）の、3人目の犠牲者
©ロンドン公文書館

4人目の犠牲者、エリザベス・ストライド。切り裂きジャックは彼女をめった切りにしようとしたが、中庭に荷馬車がはいってきたため中止した
©ロンドン公文書館

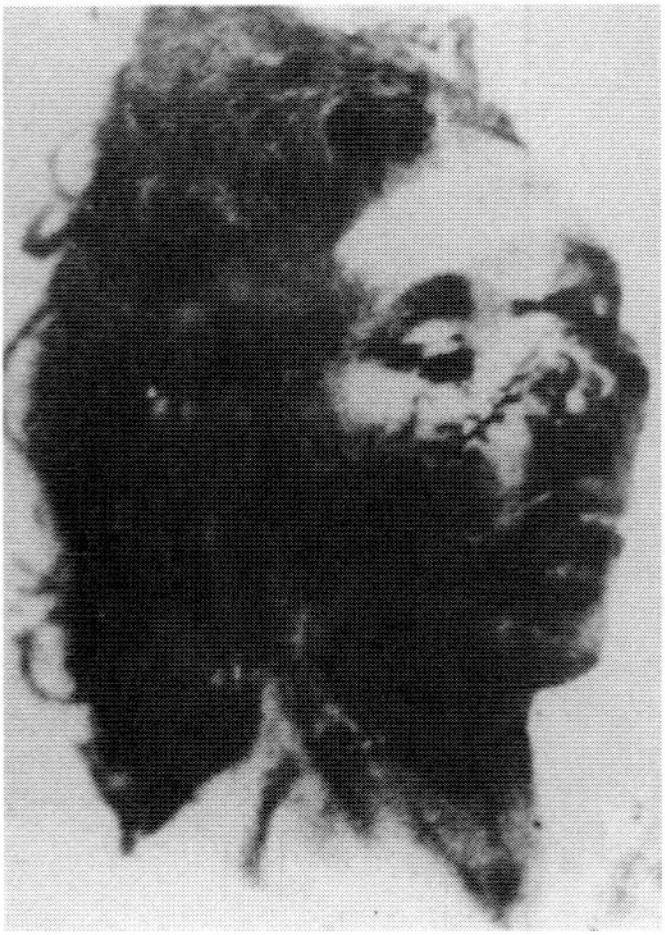

凶暴性はさらにエスカレートする。ストライド殺害から1時間もたたないうちに切り裂きジャックはキャサリン・エドウズを顔かたちがわからなくなるほどめった切りにし、彼女の子宮をえぐり出した
©ロンドン公文書館

エドウズの検屍写真を彷彿とさせるシッカートの作品「プタナ・ア・カサ」。エドウズの右顔面の損傷を連想させる
パトリシア・コーンウェル所有

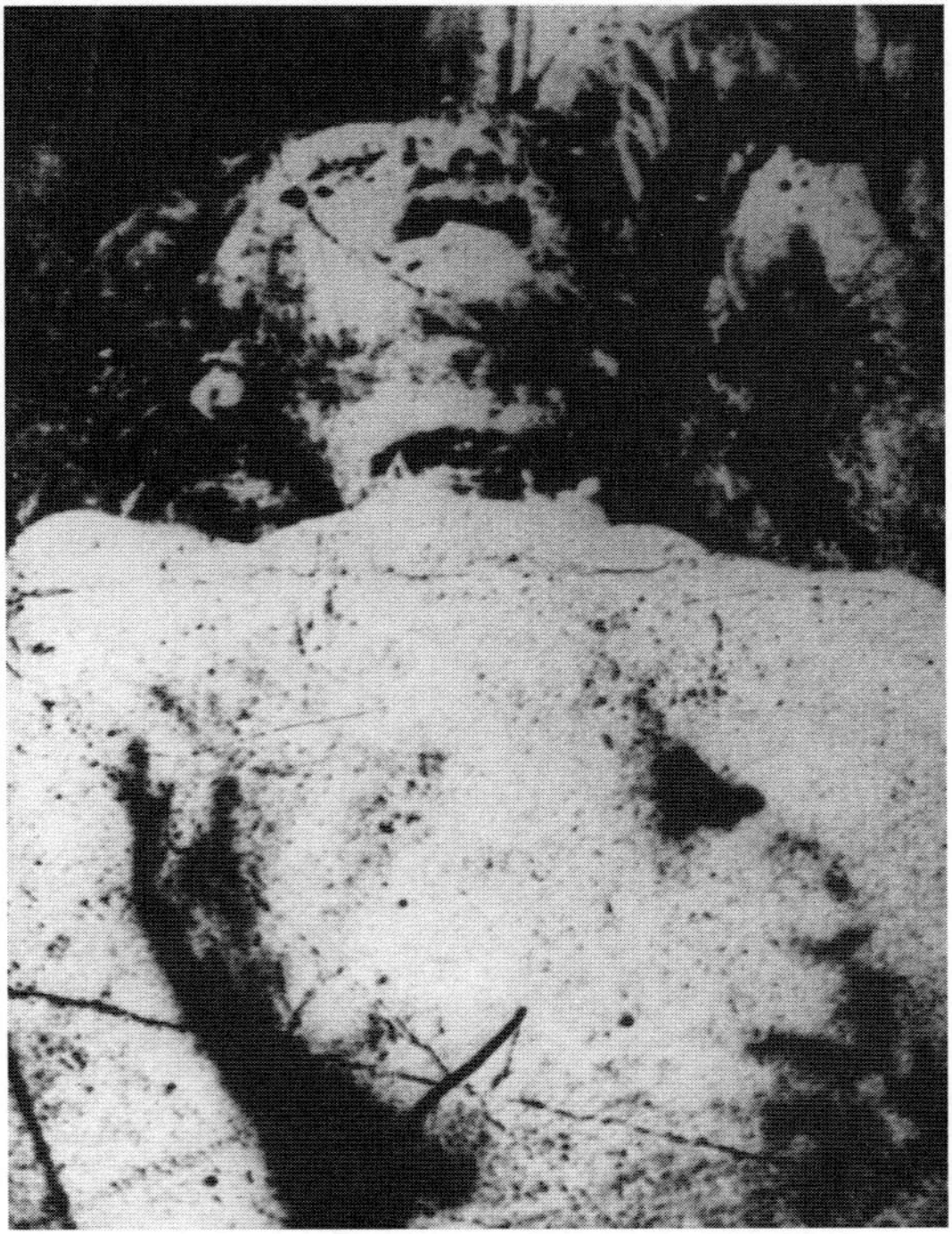

キャサリン・エドウズは下まぶたを切られ、鼻をほとんどそがれ、片方の耳たぶを切り落とされるなど、顔面にすさまじい損傷をおっていた
©ロンドン公文書館

暴力的なイマジネーションの感じられるシッカートのスケッチ「彼は争いのすえ父親を殺した」。木製のベッドフレームなど、メアリ・ケリー殺害現場を思わせるディテールが見られる
マンチェスター大学、ホイットワース美術館

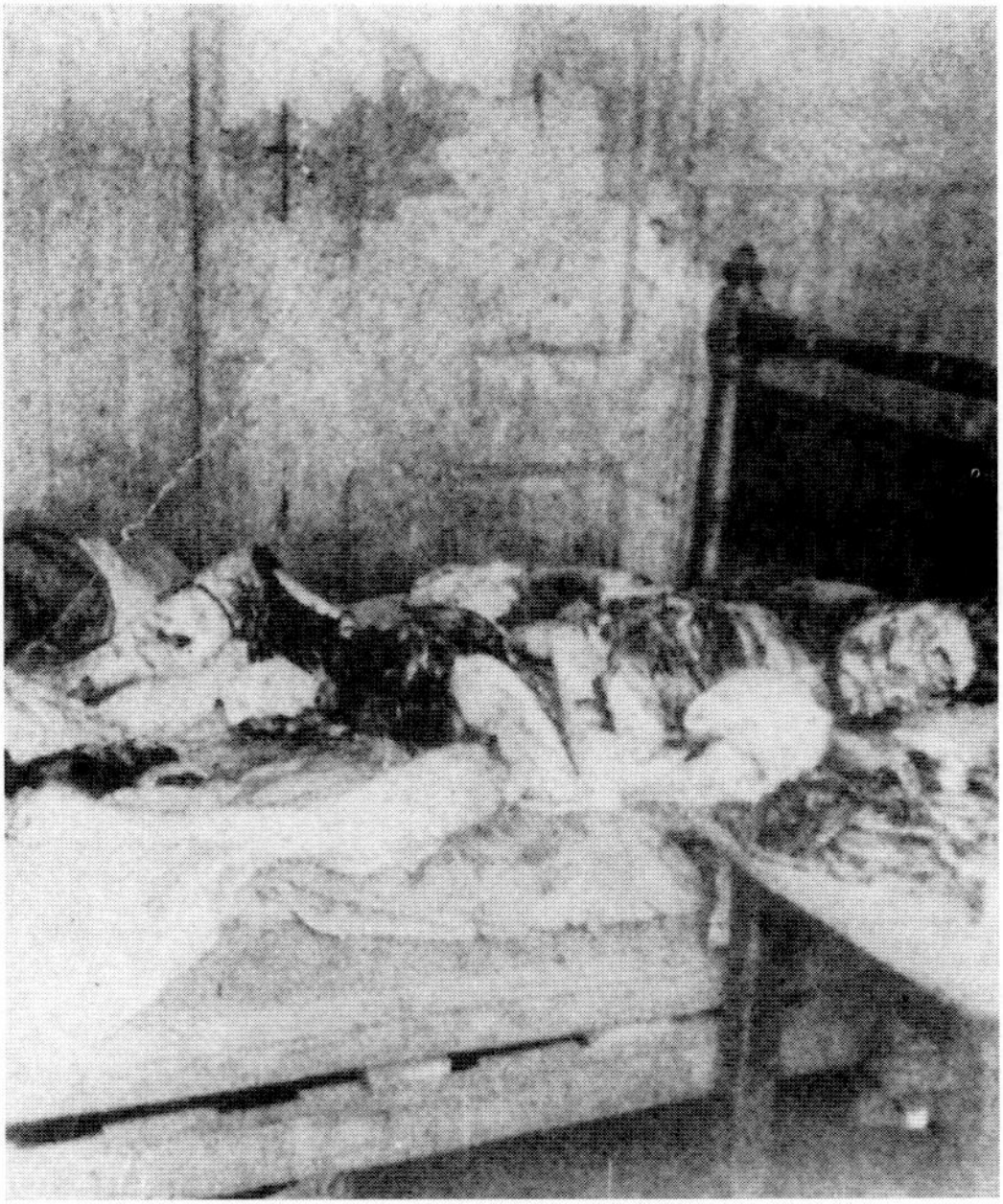

メアリ・ケリーの殺害にいたって、切り裂きジャックの残虐性は狂乱の極みに達している。若く美しかったメアリ・ケリーの顔は完全に破壊され、両乳房、性器、そして心臓を含む臓器はすべて切り取られていた

シッカートの連作「カムデン・タウンの殺人」のなかの「説得」。1907年、エミリー・ディモックという売春婦がシッカートの家からわずか1キロ半ほどのところで殺された
ブリストル美術館

DAILY TELEGRAPH, SATURDAY, NOVEMBER 10, 1888.

LOCALITY OF THE SEVEN UNDISCOVERED MURDERS.

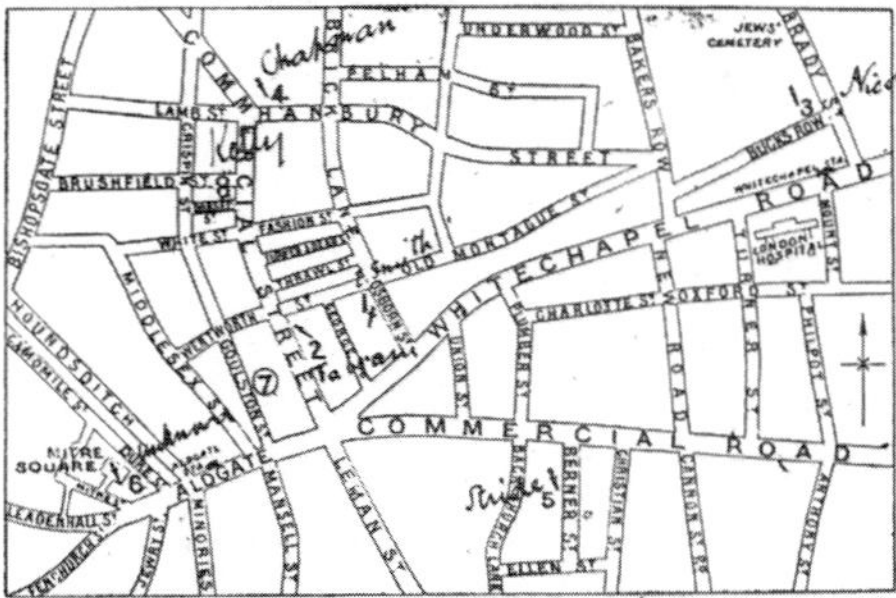

The above chart represents the locality within which, since April last, seven women of the unfortunate class have been murdered. The precise spot where each crime was committed is indicated by a dagger and a numeral.

1. April 3.—Emma Elizabeth Smith, forty-five, had a stake or iron instrument thrust through her body, near Osborn-street, Whitechapel.

2. Aug. 7.—Martha Tabram, thirty-five, stabbed in thirty-nine places, at George-yard-buildings, Commercial-street, Spitalfields.

3. Aug. 31.—Mary Ann Nicholls, forty-seven, had her throat cut and body mutilated, in Buck's-row, Whitechapel.

4. Sept. 8.—Annie Chapman, forty-seven, her throat cut and body mutilated, in Hanbury-street, Spitalfields.

5. Sept. 30.—A woman, supposed to be Elizabeth Stride, but not yet identified, discovered with her throat cut, in Berner-street, Whitechapel.

6. Sept 30.—A woman, unknown, found with her throat cut and body mutilated, in Mitre-square, Aldgate.

Figure 7 (encircled) marks the spot in Goulston-street where a portion of an apron belonging to the woman murdered in Mitre-square was picked up by a Metropolitan police-constable.

Figure 8. Nov. 9.—Mary Jane Kelly, 24, her throat cut and body terribly mutilated, in Miller's-court, Dorset-street.

ホワイトチャペルの地図。1888年の夏、秋、そして初冬にかけての切り裂きジャックによるイースト・エンド連続殺人の舞台

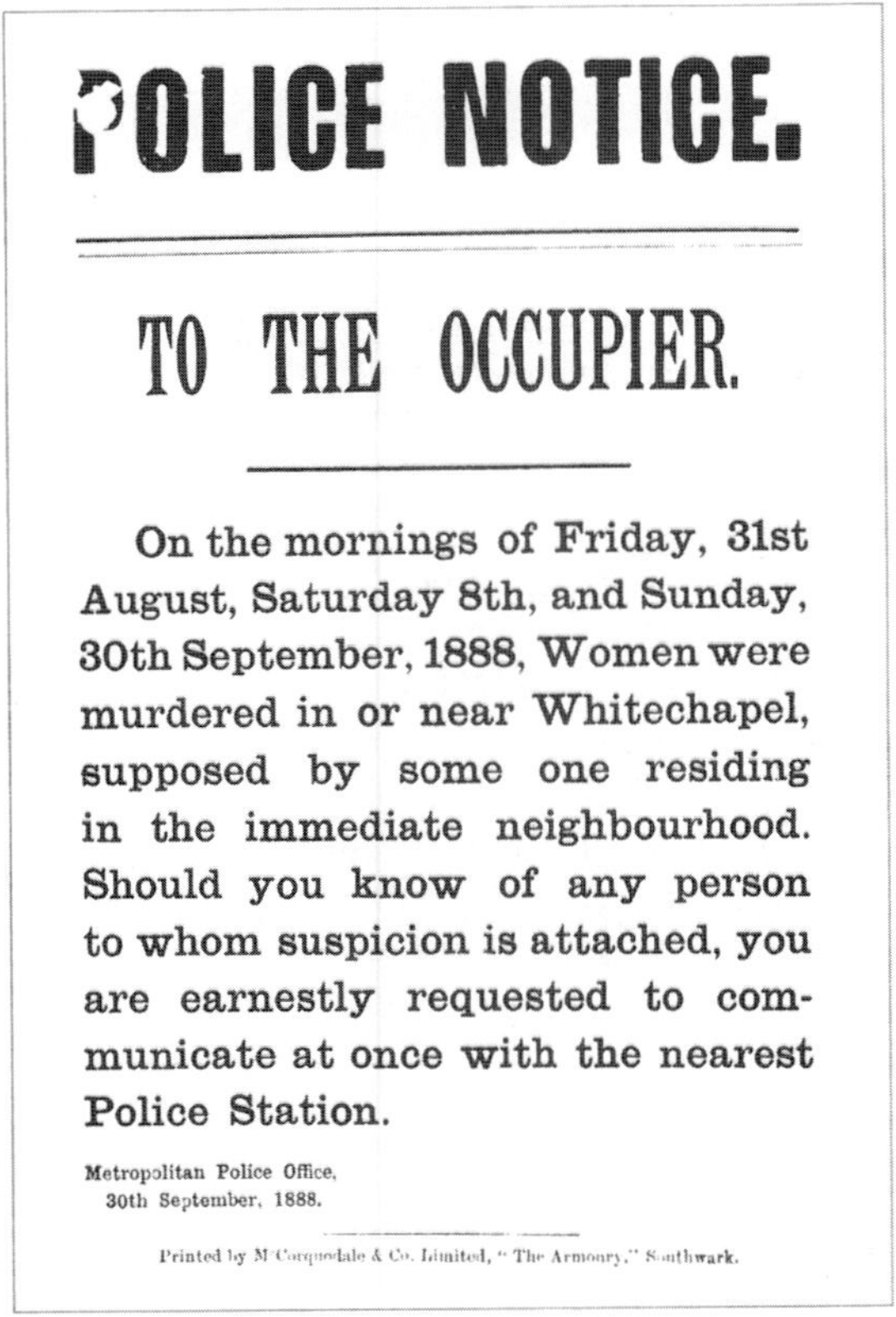

POLICE NOTICE.

TO THE OCCUPIER.

On the mornings of Friday, 31st August, Saturday 8th, and Sunday, 30th September, 1888, Women were murdered in or near Whitechapel, supposed by some one residing in the immediate neighbourhood. Should you know of any person to whom suspicion is attached, you are earnestly requested to communicate at once with the nearest Police Station.

Metropolitan Police Office,
30th September, 1888.

Printed by M'Corquodale & Co. Limited, "The Armoury," Southwark.

首都警察の告示。1888年9月30日。エリザベス・ストライドとキャサリン・エドウズの二重殺人に業を煮やした警察はロンドン中に告示を出した

首都警察の協力による

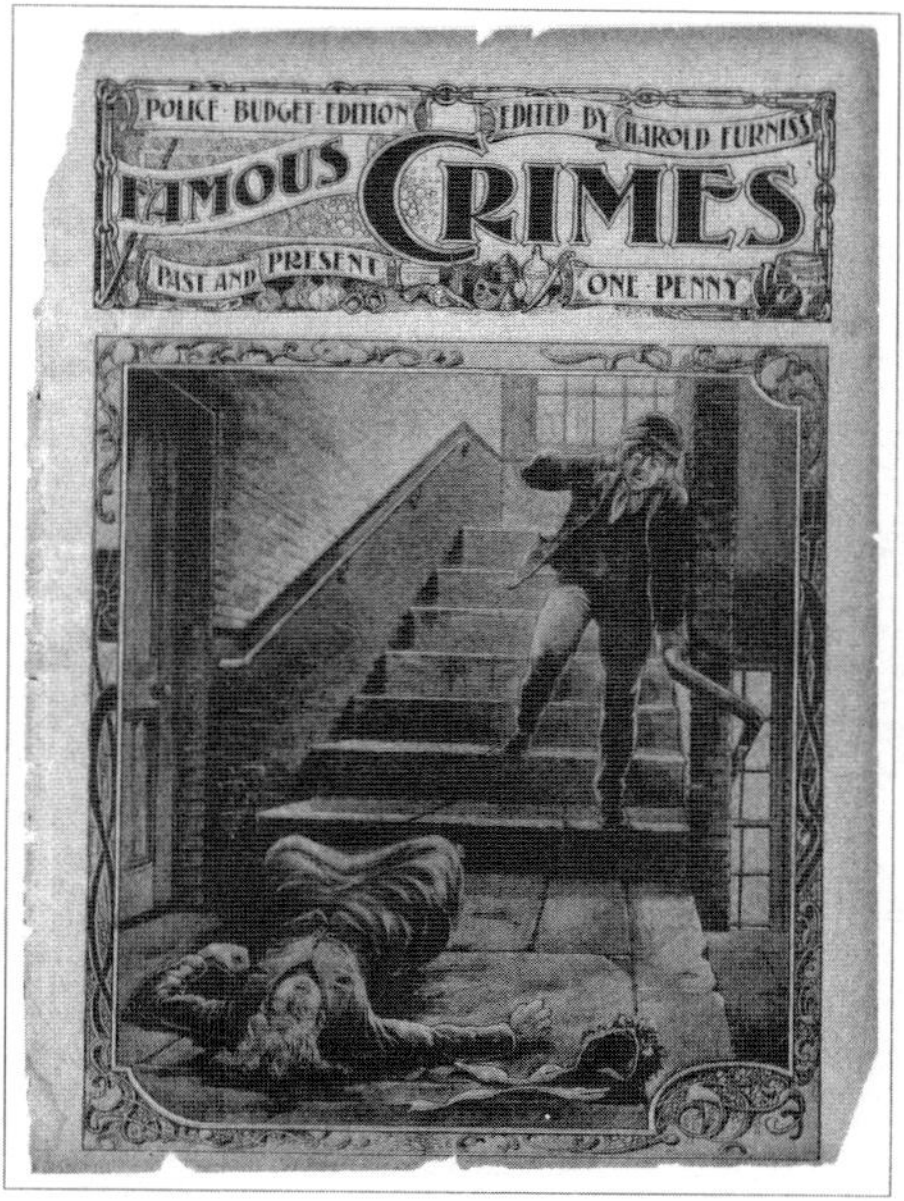

「フェイマス・クライムス」誌の表紙絵。ここから始まったセンセーショナルな切り裂きジャック伝説はその後１世紀以上にわたって続くことになる
パトリシア・コーンウェル所有

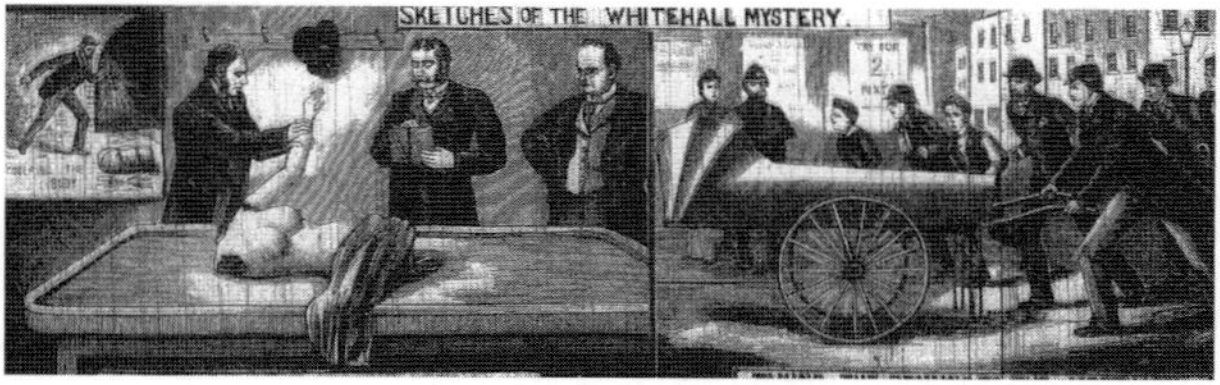

1888 年 10 月、スコットランド・ヤード新庁舎の建設現場で女性の胴体が発見された
首都警察の協力による

「パンチ」誌1888年9月22日号130ページ。ロンドン市民は切り裂きジャックを捕まえられない警察を手きびしく批判した

パトリシア・コーンウェル所有

「やあ、ボス」。リッパーの手紙の多くは、首都警察警視総監チャールズ・ウォーレンにあてられていた
パトリシア・コーンウェル所有

切り裂きジャックの容疑者とされたクラレンス公。この嫌疑はあやまり——恐喝に対する彼の解決手段は殺人ではなく金だった
パトリシア・コーンウェル所有

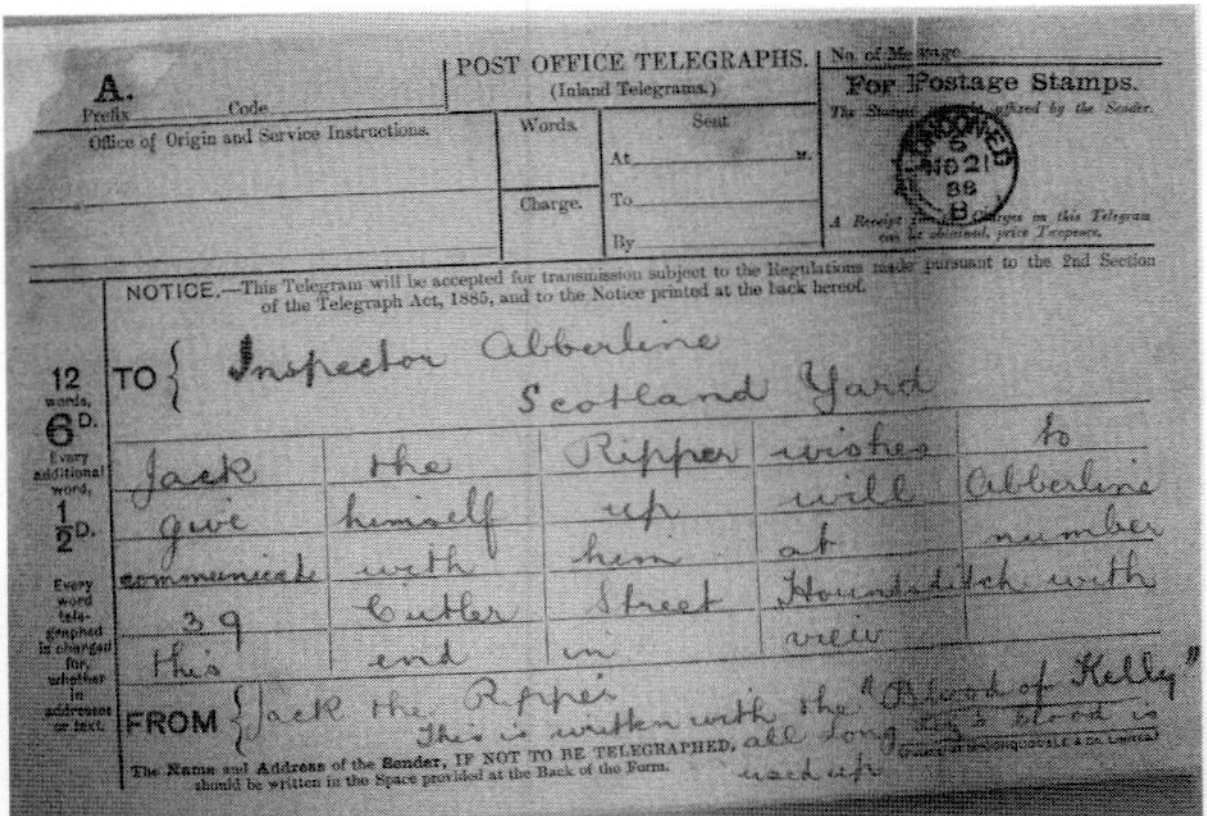

A.
Prefix Code
Office of Origin and Service Instructions.

POST OFFICE TELEGRAPHS.
(Inland Telegrams.)

Words. Sent
At m.
Charge. To
By

No. of Message
For Postage Stamps.

NOTICE.—This Telegram will be accepted for transmission subject to the Regulations made pursuant to the 2nd Section of the Telegraph Act, 1885, and to the Notice printed at the back hereof.

12 words, 6D. Every additional word, 1/2D. Every word telegraphed is charged for, whether in address or text.

TO { Inspector Abberline
Scotland Yard

Jack	the	Ripper	wishes	to
give	himself	up	will	Abberline
communicate	with	him	at	number
39	Cutler	Street	Houndsditch	with
this	end	in	view	

FROM { Jack the Ripper
This is written with the "Blood of Kelly" all along blood is used up

The Name and Address of the Sender, IF NOT TO BE TELEGRAPHED, should be written in the Space provided at the Back of the Form.

切り裂きジャックがアバーライン警部へ打った電報。シッカート、そして切り裂きジャックは電報が大好きだった

Ⓒロンドン公文書館

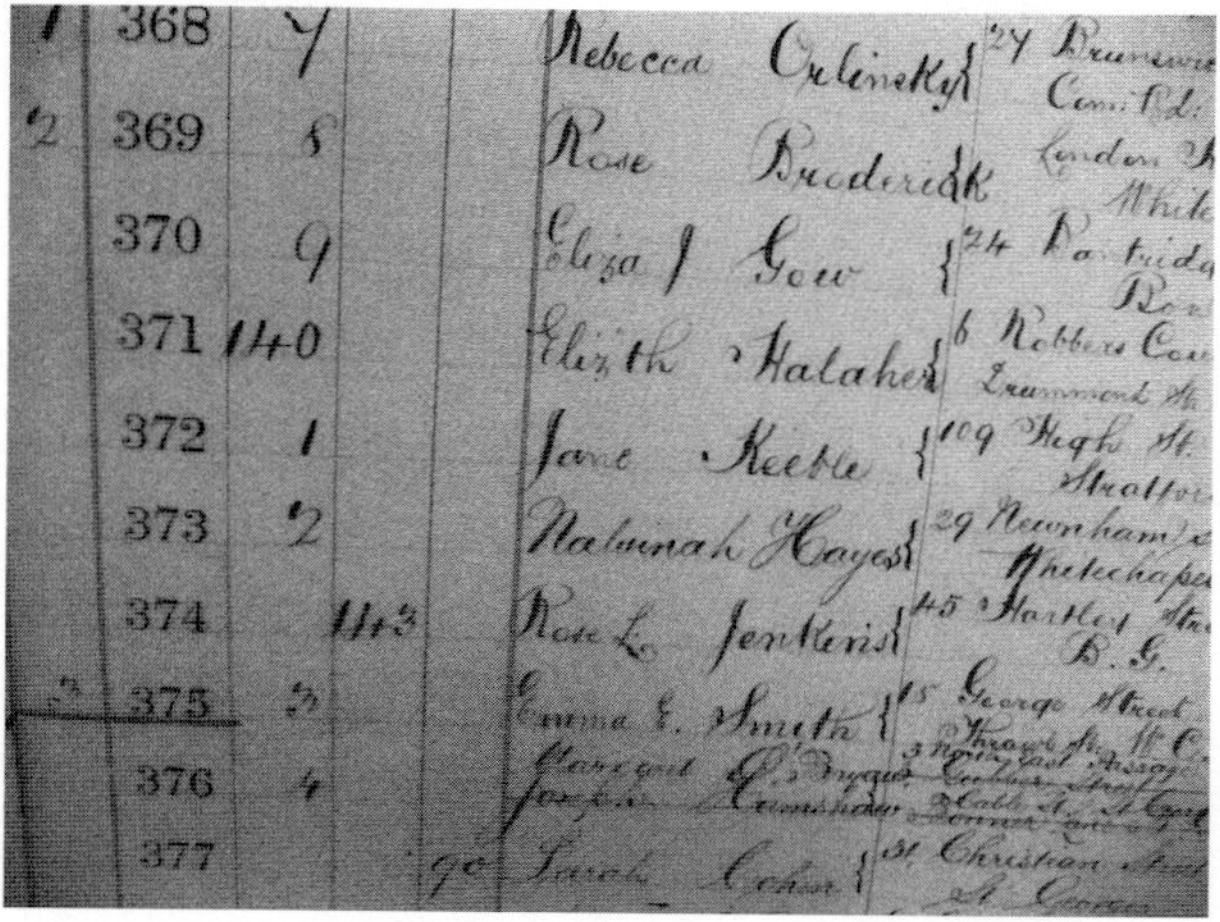

王立ロンドン病院の患者名簿。ここはイースト・エンドで唯一の病院だった。切り裂きジャックの被害者はみなここへかつぎこまれる前に死亡していたと思われる

王立ロンドン病院アーカイヴ

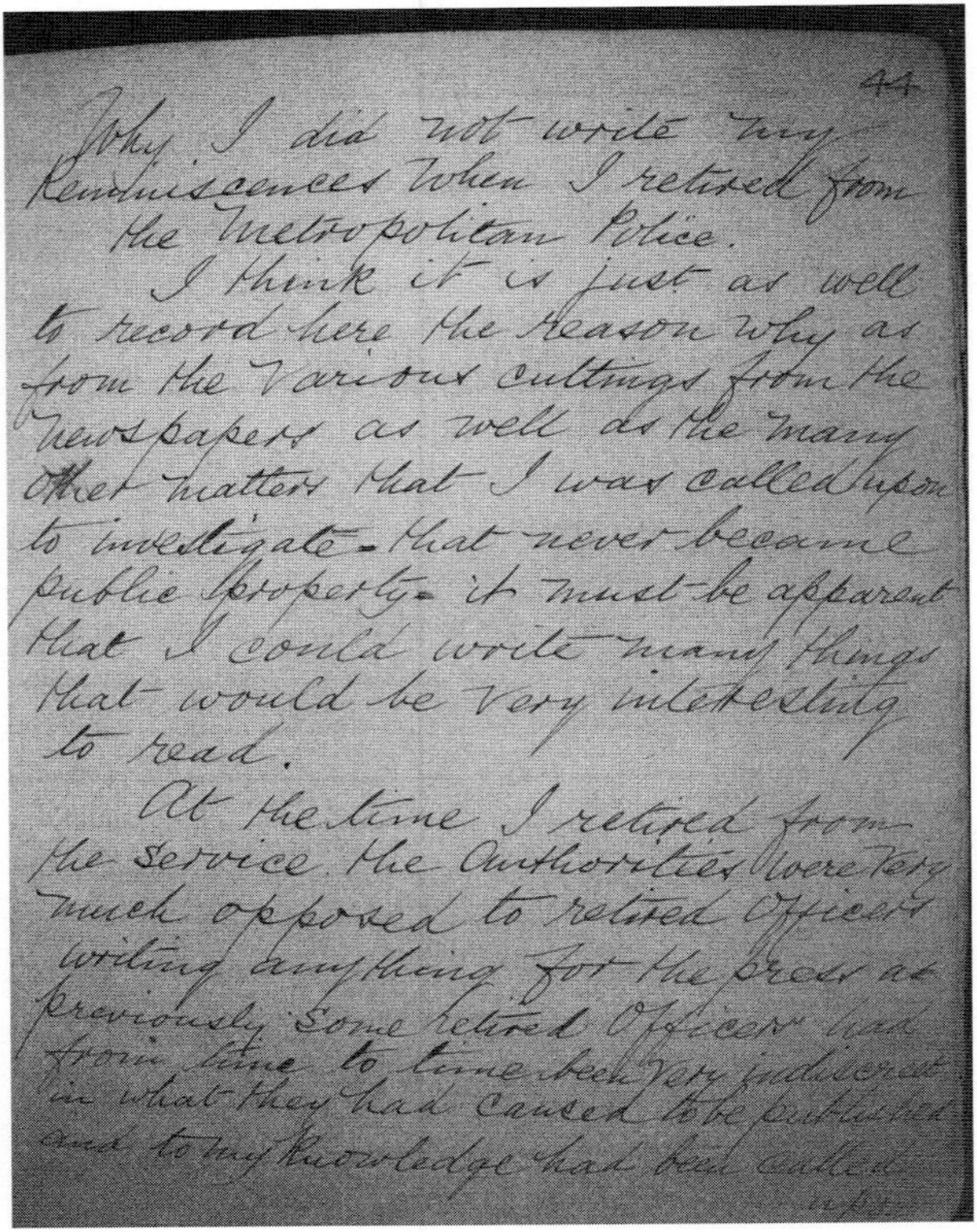
44

Why I did not write my Reminiscences when I retired from the Metropolitan Police.

I think it is just as well to record here the reason why as from the various cuttings from the newspapers as well as the many other matters that I was called upon to investigate - that never became public property - it must be apparent that I could write many things that would be very interesting to read.

At the time I retired from the service the Authorities were very much opposed to retired Officers writing anything for the press as previously some retired Officers had from time to time been very indiscreet in what they had caused to be published and to my knowledge had been called up-

アバーライン警部のスクラップブックの44、45ページ。アバーラインは切り裂きジャック事件の指揮を執ったが、捜査の内容や、彼のキャリアのなかでももっとも悪名高い事件を解決できなかったことについての心情などは、明かそうとしなかった

首都警察の協力による

45 upon to explain their Conduct and in fact they had been threatened with actions for libel.

Apart from that there is no doubt the fact that in describing what you did in detecting certain Crimes you are putting the Criminal Classes on their guard and in some cases you may be absolutely telling them how to Commit Crime.

As an example in the Finger Print detection you find now the expert thief wears gloves.

F G Abberline

I am
Jack the ripper
me
if you can

This is my Photo of Jack the Ripper
10 more and up goes the Sponge
Sig Jack the Ripper

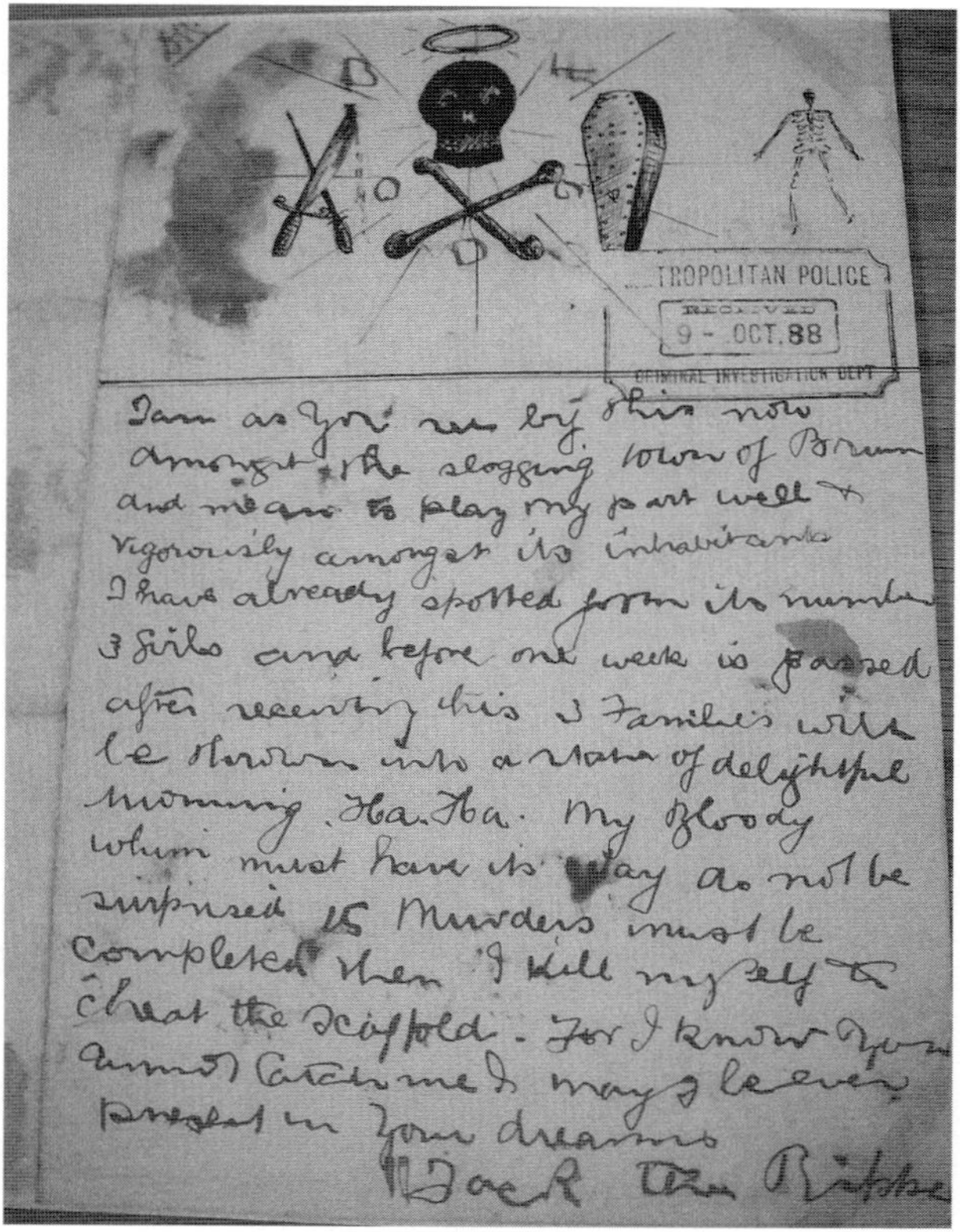

....TROPOLITAN POLICE
RECEIVED
9 - OCT. 88
CRIMINAL INVESTIGATION DEPT

I am as you see by this now
amongst the slogging town of Brum
and means to play my part well &
vigorously amongst its inhabitants
I have already spotted from its number
3 girls and before one week is passed
after receiving this 3 families will
be thrown into a state of delightful
mourning. Ha. Ha. My bloody
whim must have its way as not be
surprised 15 Murders must be
completed then I kill my self to
cheat the scaffold. For I know you
cannot catch me & may I be ever
present in your dreams
Jack the Ripper

美術専門家は、これら３通の切り裂きジャックの手紙に描かれた一見粗雑な素描にもプロの画家による手法とシッカートらしいタッチがうかがえるという

up at Hull before going
to Poland.
Filby looking in low lodgin
houses for me do not vissit
them description posted at
Police stations nothing like
me look out for Oct.er 27th
at Brum will give them
ripper
Jack a poland Jew
Better known as Jack the ripper
253
A drop of Strides Blood

美術と紙の専門家によると、切り裂きジャックの手紙についていた血のしみは、実はエッチンググラウンドを指か絵筆でぬりつけたものだという
©ロンドン公文書館

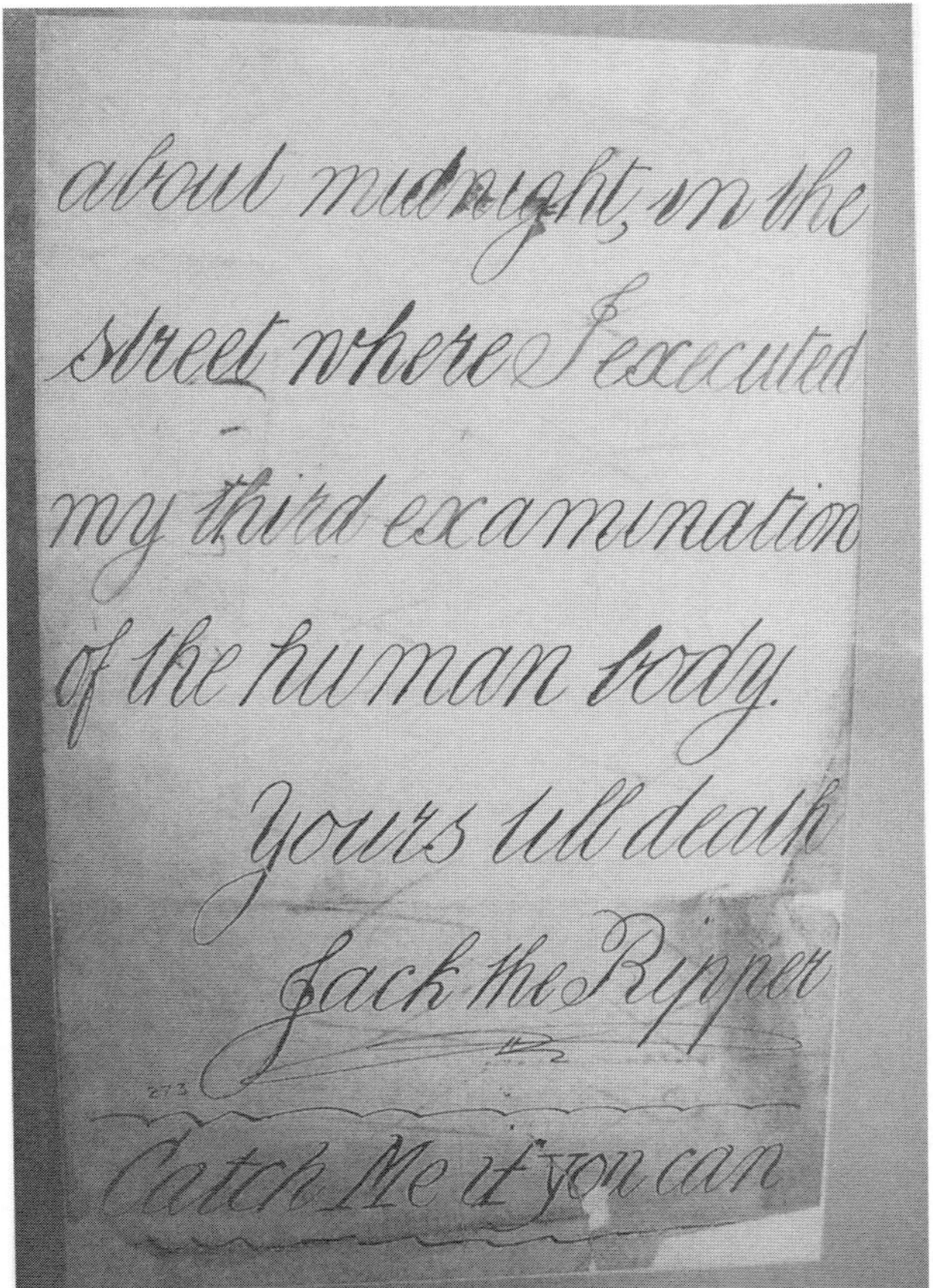
about midnight, in the
street where I executed
my third examination
of the human body.
Yours till death
Jack the Ripper
273
Catch Me if you can

絵筆で書かれた切り裂きジャックの手紙
©ロンドン公文書館

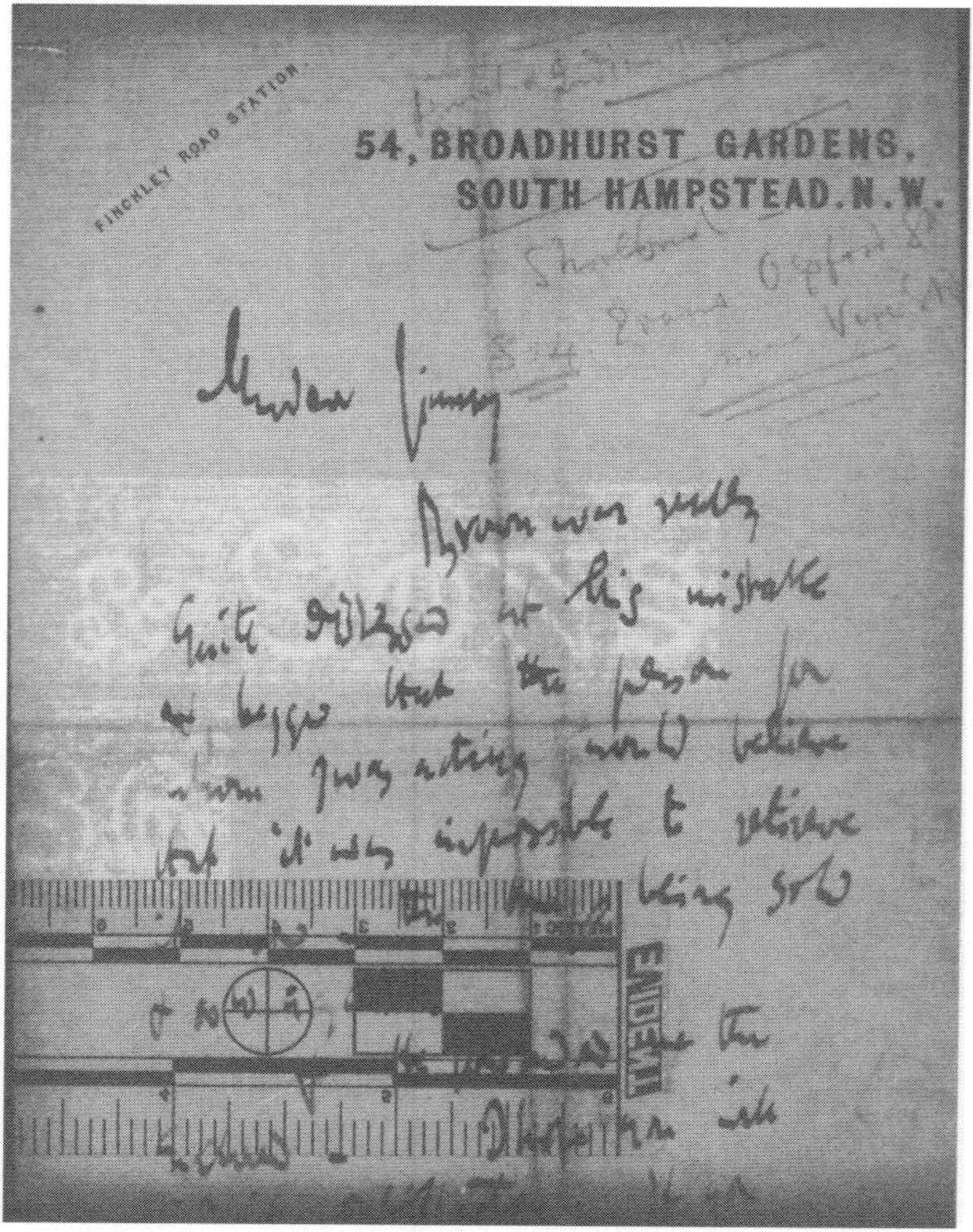
FINCHLEY ROAD STATION.

54, BROADHURST GARDENS,
SOUTH HAMPSTEAD. N.W.

ドクター・オープンショーへあてた切り裂きジャックの手紙（左）の透かしと、ジェイムズ・ホイッスラーへあてたシッカートの手紙（上）の透かしは、一致している

左：王立ロンドン病院アーカイヴ　上：グラスゴー大学図書館特別コレクションの許可による

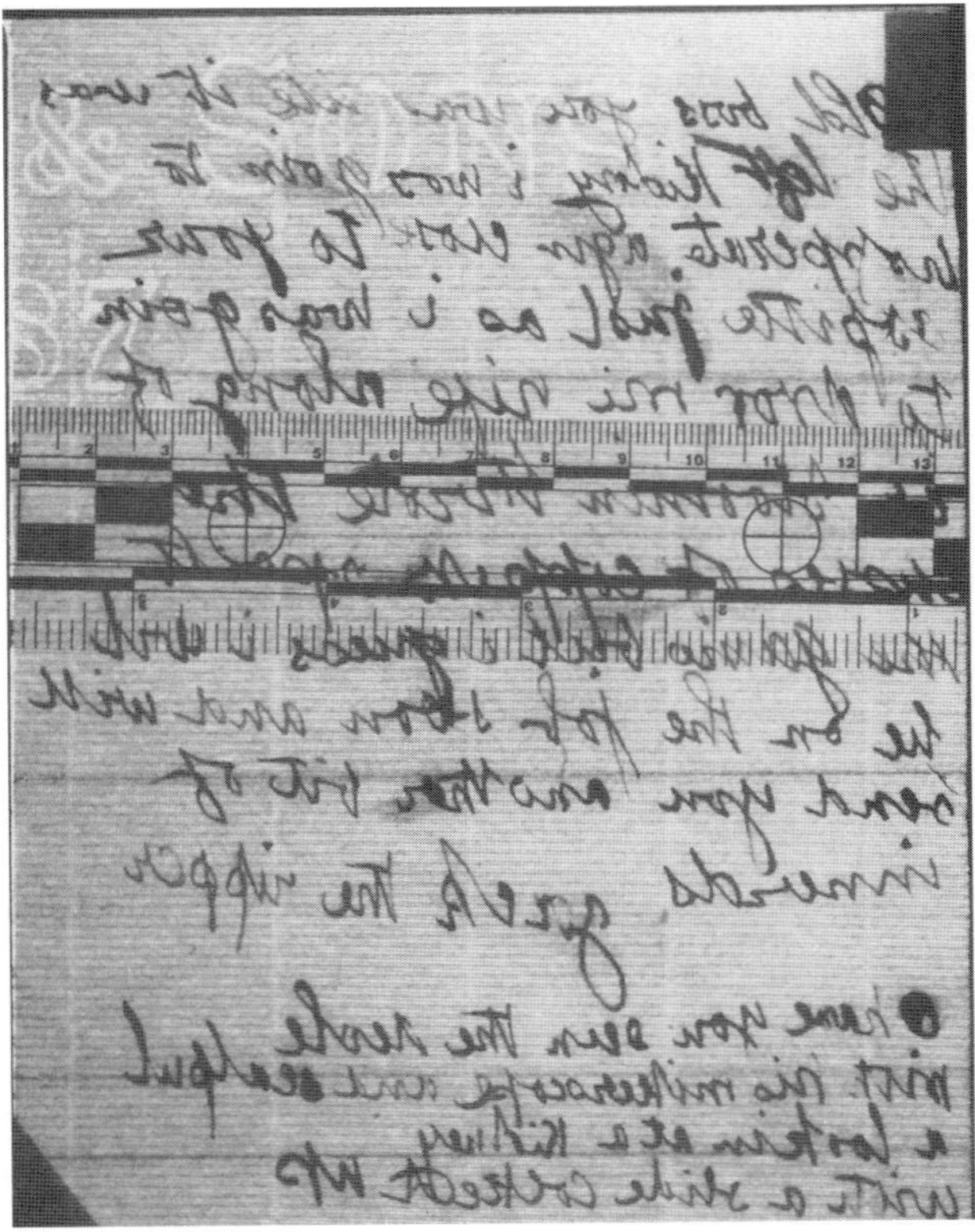
Old boss you was rite it was
the left kidny i was goin to
hoperate agin close to your
ospitle just as i was goin
to dror mi nife along of
er bloomin throte them
cusses of coppers spoilt the
game but i guess i wil
be on the job soon and will
send you another bit of
innerds
Jack the ripper

O have you seen the devle
with his mikerscope and scalpul
a lookin at a Kidney
with a slide cocked up

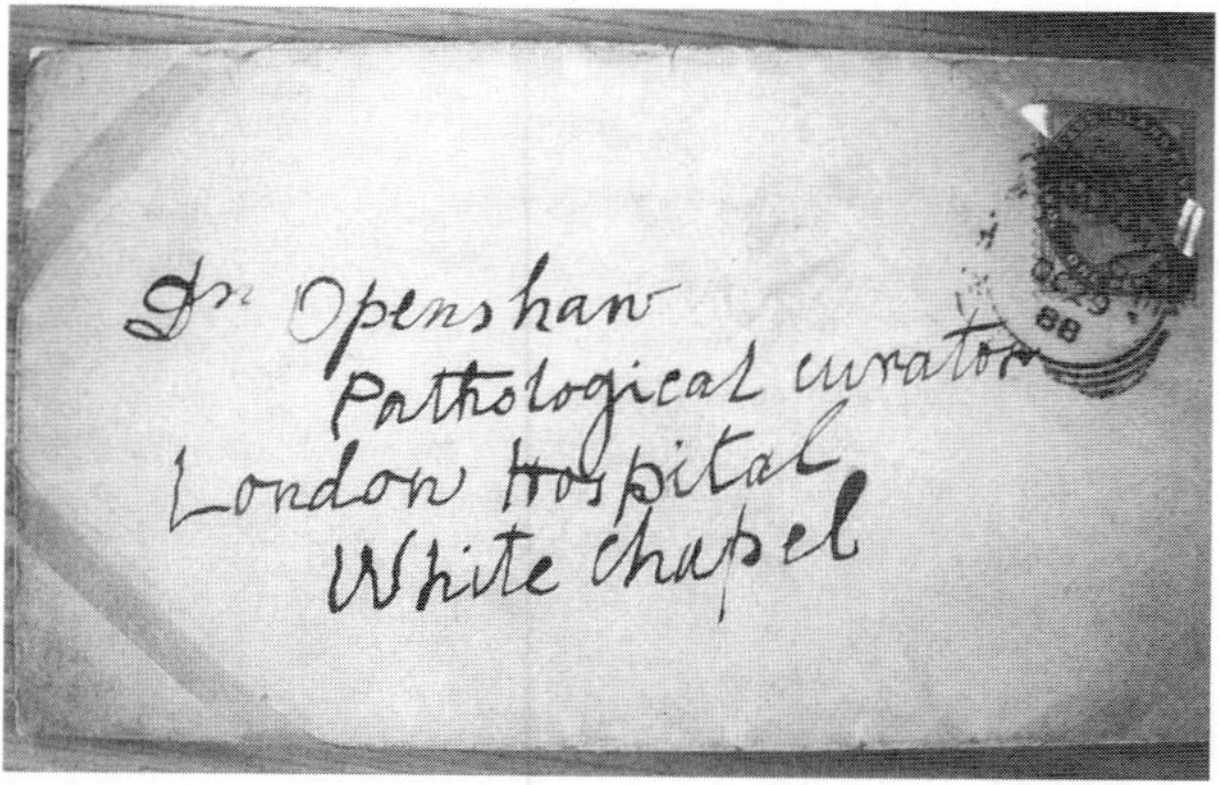

ドクター・オープンショーへあてた手紙の封筒の切手の裏からとったサンプル（犯罪捜査のために鑑定されたもっとも古いDNA）からえられたミトコンドリアDNA塩基配列は、切り裂きジャックのべつの封筒とシッカートの2通の封筒から見つかったミトコンドリアDNA塩基配列と一致している
王立ロンドン病院アーカイヴ

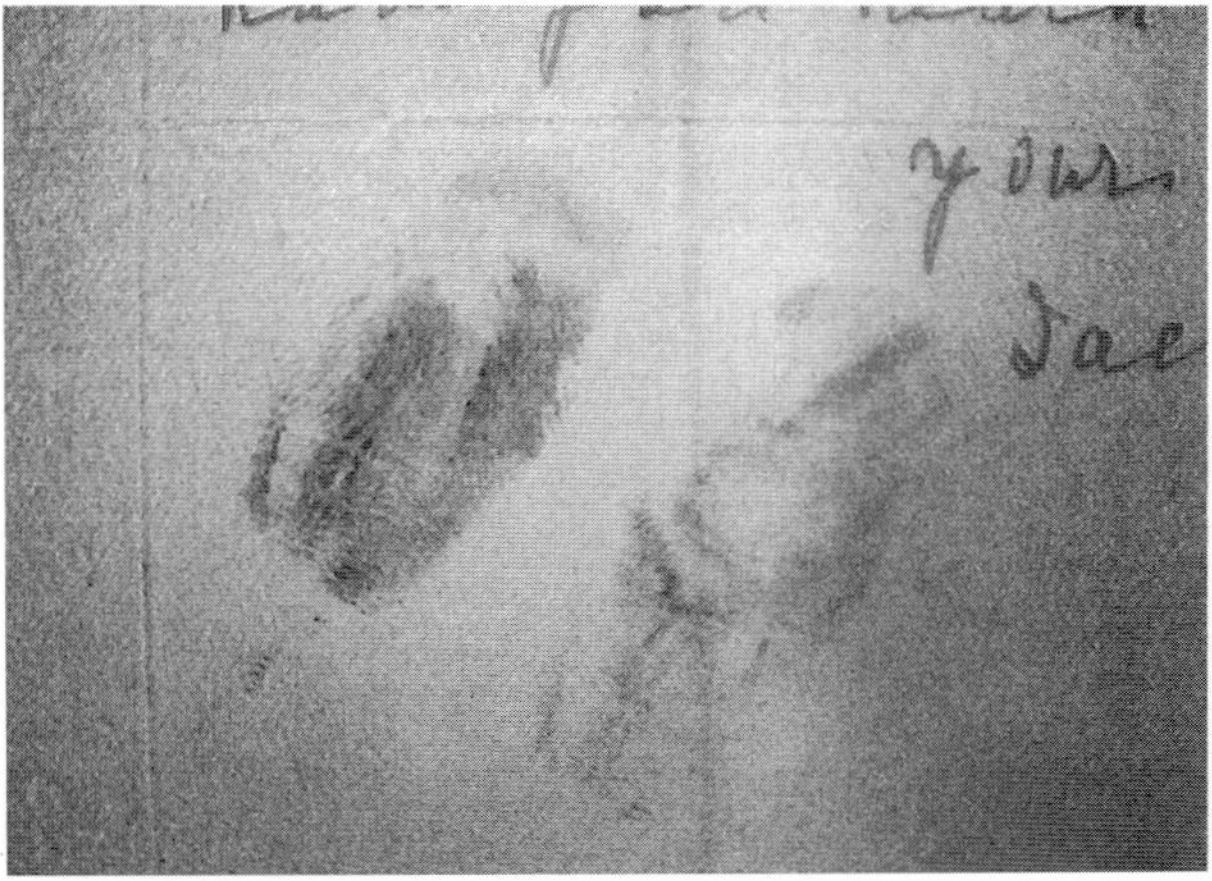

1896 年に首都警察に投函された手紙についていた切り裂きジャックの指紋

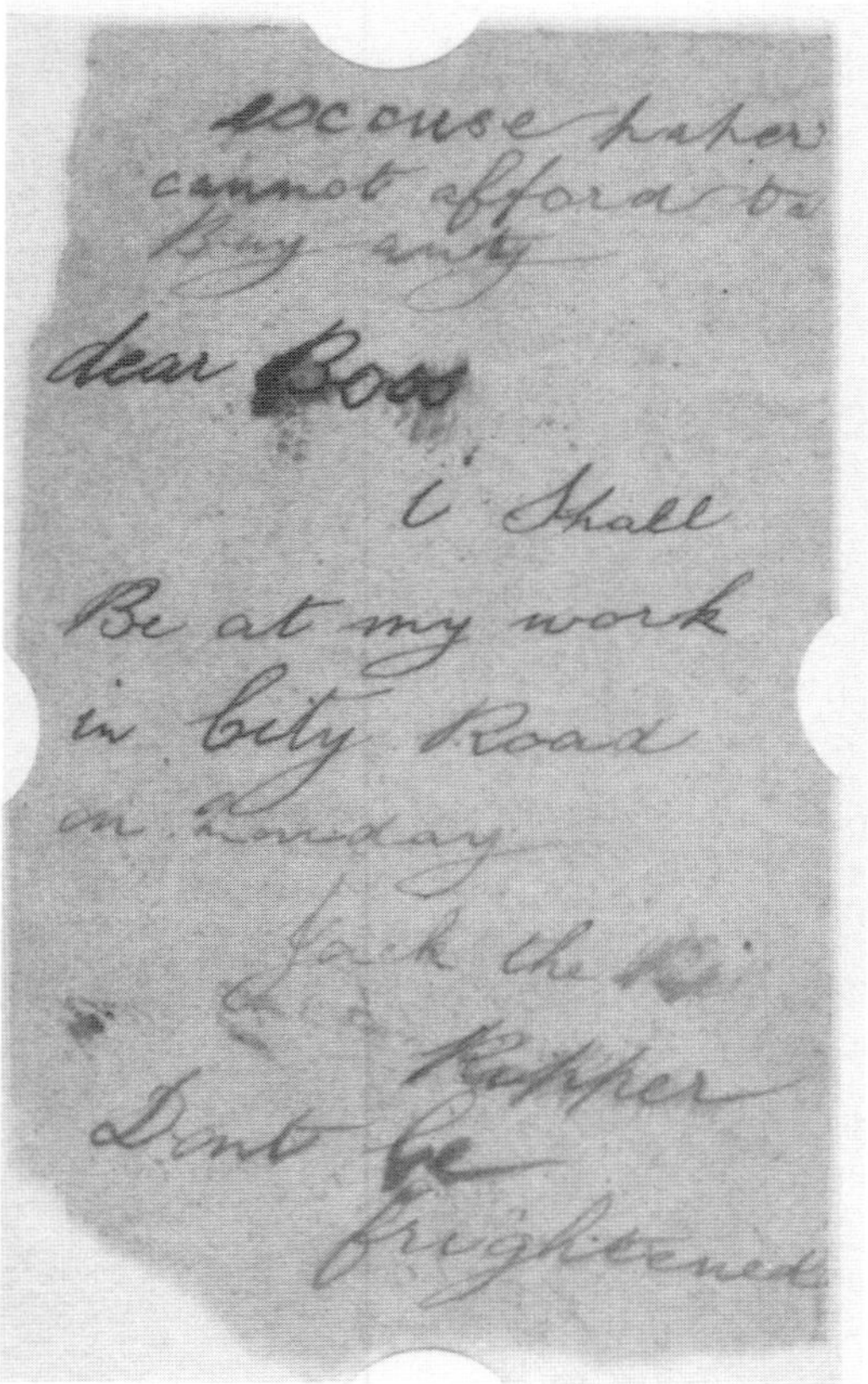
excuse paper
cannot afford to
buy any

dear Boss

i Shall
Be at my work
in City Road
on Monday

Jack the Ripper

Dont be
frightened

安物の紙の切れ端に書かれた切り裂きジャックの手紙。便箋を買う余裕がないと記されている
©ロンドン公文書館

シッカートが1908年に制作した「切り裂きジャックの寝室」。エミリー・ディモックが殺されたとき彼が住んでいた家の寝室が描かれている
オリジナルはマンチェスター市立美術館

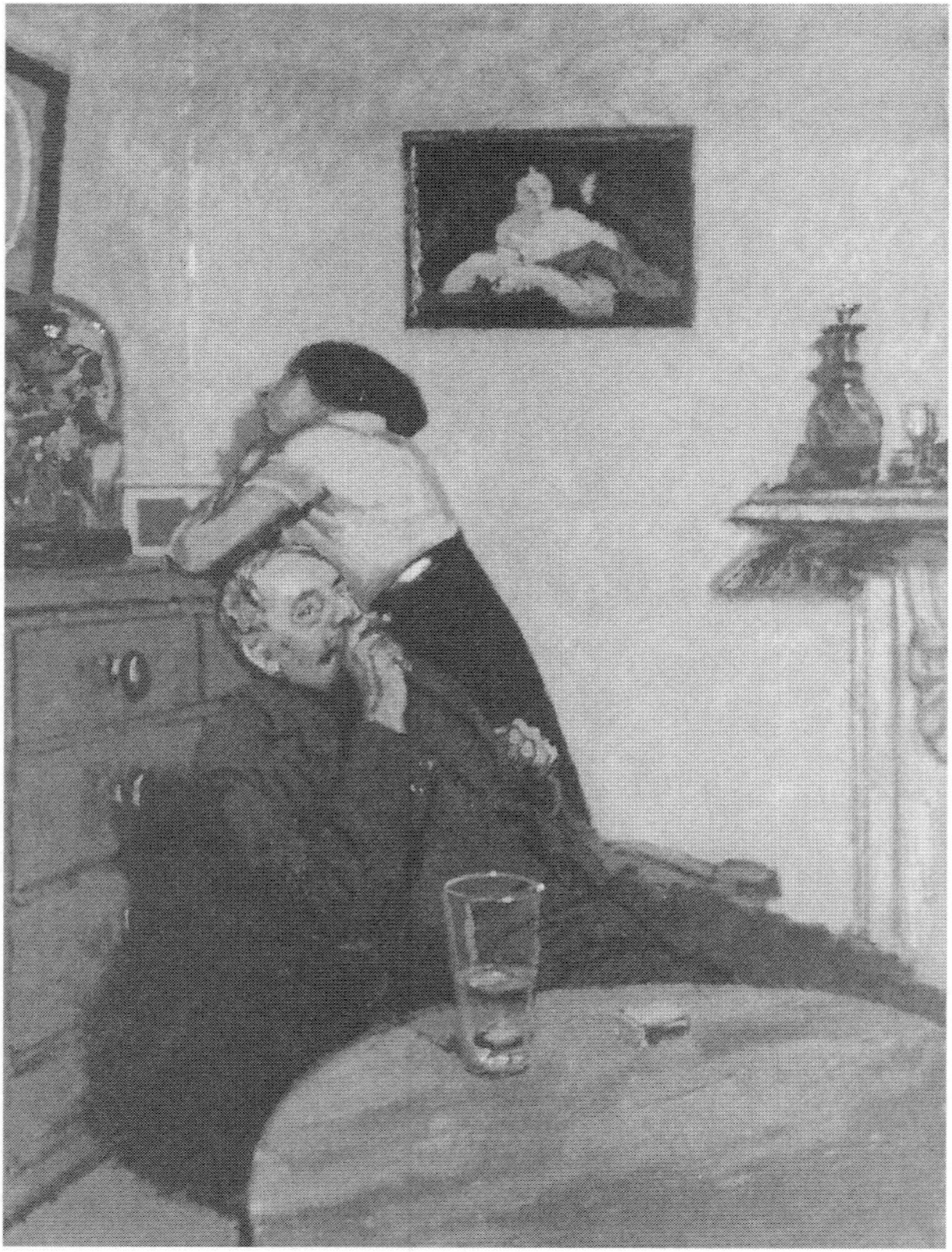

シッカートの作品「倦怠」。壁に飾られた絵のなかの女性の左肩のうえに、後ろから近づいてきた男の顔の一部とおぼしきものが見える
テイト・ギャラリー／アートリソース、N.Y.

講談社文庫

真相(上)

〝切り裂きジャック〟は誰なのか？

パトリシア・コーンウェル｜相原真理子 訳

講談社

真相（上）

目次

スコットランド・ヤードのジョン・グリーヴ副警視監へ

貴方なら捕まえられたはず

真相（上）　〝切り裂きジャック〟は誰なのか？

人々は恐慌をきたし、サタンが再びこの世にあらわれたと興奮気味に語るものも多かった。

――H．M．イースト・エンドの無名の伝道師　一八八八年

1　影なき男

一八八八年八月六日月曜日は、バンク・ホリデイ《法定休日》で、ロンドンの町にはさまざまな娯楽があふれていた。多少ふところに余裕のあるものは、数ペニーでそれらを楽しむことができた。

ウインザーの教区教会とセント・ジョージ礼拝堂《れいはいどう》の鐘の音が、終日なりひびいていた。軍艦は満艦飾《まんかんしょく》をし、礼砲をうってヴィクトリア女王の次男エディンバラ公の四十四歳の誕生日を祝った。

クリスタル・パレスではオルガンリサイタル、軍楽隊のコンサート、「豪華けんらんな花火ショー」、グランド・フェアリー・バレエ、腹話術、「世界的に有名な大道芸」など、この日のための各種の華やかなイベントが催されていた。マダム・タッソーろう人形館には、正装安置されたフリードリヒ二世の遺体のろう人形がとくべつに展示されている。変わらぬ人気を誇る恐怖の部屋も、むろん公開されていた。芝居の切符を買う余裕があり、道徳劇や昔ながらのこわい舞台を見たいという人たちのためには、ぞっとするような出し物が用意されていた。『ジキル博士とハイド氏』を上演している劇場は、どこも満員だった。ヘンリー・アーヴィングが経営するライシーアム劇場では、有名なアメリカ人俳優、リチャード・マンスフィールドがジキルとハイドを熱演していた。オペラ・コミックも同じ芝居を上演していたが、こちらはあまり評判がよくなかった。またこの劇場はロバート・ルイス・スティーヴンソンの小説を許可なく脚色したことで、物議をかもしていた。

その日は馬や牛の品評会も開催されていた。列車はとくべつな「割引料金」で利用することができた。コヴェントガーデンのマーケットには銀食器や金の製品、装身具、中古の軍服が山積みされている。くつろいだ雰囲気のなかにも活気がみちていた。その日はだれでも金をかけず、不審に思われることもなく、軍人のふりをすることができた。カムデン・タウンにあるエンジェル舞台衣裳屋でロンドン警視庁の制服を借りれば、警官になりすますこともできる。ハンサムなウォルター・リチャード・シッカートの住まいは、カムデン・タウンからわずか三キロほどのところにあった。

二十八歳のシッカートは、役者という下賤《げせん》な職業をすてて、芸術家になる道をえらんでいた。画家、銅版画家としてジェイムズ・マクニール・ホイッスラーに学び、エドガー・ドガの感化を受けていた。シッカート自身も芸術作品のように容姿端麗《たんれい》だった。ほっそりしているが水泳できたえた上半身はよく発達し、形のよい鼻とあご、ふさふさした波打つ金髪のもちぬしだった。青い瞳は、彼のひそかな思いと鋭敏な頭脳をあらわすかのようになぞめいており、鋭かった。美しいといえるほど整った顔立ちに唯一そぐわないのはくちびるで、一文字にひきむすばれると冷酷な印象を与えた。正確な身長は不明だが、友人によると平均よりやや高かったという。写真や、一九八〇年代にテイト・ギャラリーに寄贈された衣服から推定すると、百七十二から百七十五センチぐらいだったと思われる。

シッカートはドイツ語、英語、フランス語、イタリア語に堪能《たんのう》だった。ラテン語も友人たちに教えられるほどよく知っており、デンマーク語とギリシャ語の素養もあった。スペイン語とポルトガル語も多少知っていたようだ。さまざまな言語で書かれた文学作品を原語で読んだといわれているが、終わりまでいかないことも多かったらしい。興味を失った時点でのページがひらかれたままの小説が、何十冊もほうりだしてあったという。シッカートがむさぼり読んだのは新聞やタブロイド紙、雑誌などだった。

一九四二年に死ぬときまで、彼の仕事場や書斎は、ヨーロッパ中の新聞のリサイクルセンターのようなありさまだった。まともに仕事をしている人間に、毎日四、五、

六、十紙もの新聞を読む時間があるだろうかとふしぎに思うが、シッカートには独自のやりかたがあった。政治、経済、世界情勢、戦争、人間などあらゆる話題について、自分に興味のないものは無視するのだ。シッカートは何らかの形で自分にかかわること以外は、まったく関心を示さなかった。

彼はロンドンの最新の催しものについて読み、美術批評に目をとおすと、すぐに犯罪関係の記事にうつり、何らかの理由で自分の名前が新聞にのることが予想される日は、それをさがす。投書するのが趣味で、よく偽名を使って書いた。シッカートは他人がやっていること、とくにヴィクトリア朝の人々の、あまり道徳的とはいえない秘密の生活について知りたがった。「どんどん手紙をくれ！」と、彼は友人たちにたのんでいる。「どんなことでもかまわない。きみがおもしろいと思ったことについて、詳しく教えてほしい。いつ、どこで、どんなふうにそれがおこったかを。それからいろんな人の噂話もね」

シッカートは上流階級の人々を嫌悪する一方で、彼らにつきまとった。どうやって近づいたのか、ヘンリー・アーヴィング、女優のエレン・テリー、さし絵画家のオーブリー・ビアズリー、ヘンリー・ジェイムズ、批評家のマックス・ビアボーム、オスカー・ワイルド、モネ、ルノワール、ピサロ、ロダン、アンドレ・ジイド、作家のエドワール・デュジャルダン、プルースト、下院議員など、当時の有名人とつきあっていた。しかし必ずしも彼らと親しかったわけではない。有名無名を問わず、シッカートのことをよく知っているものはあまりいなかった。彼の最初の妻のエレンでさえそうだ。彼女はそのバンク・ホリデイの約二週間後に四十歳の誕生日をむかえるはずだった。シッカートはおそらくその日、妻の誕生日のことなど考えていなかっただろう。といっても彼がそれを忘れていたとは思えない。

シッカートはすばらしく記憶力がよいことで知られていた。よくミュージカルや芝居の登場人物の衣裳をつけ、完璧にそのせりふを暗誦《あんしょう》して、ディナーに招いた客を楽しませたという。そんなシッカートが、八月十八日はエレンの誕生日であることを忘れるはずはなかった。誕生日をだいなしにするのは簡単だった。〝忘れた〟ことにするか、アトリエと称してひそかに借りている薄汚い部屋のひとつに雲隠れする。あるいはエレンをソーホーにあるロマンチックなカフェへつれていき、彼女をおいてミュージックホールへいってしまい、一晩中帰ってこない。シッカートは冷淡で、病的なうそつきで、自己中心的だった。予告も説明もなしに何日も、ときには何週間も姿を消してしまうこともめずらしくなかった。だが不幸なことに、エレンはその彼を一生愛しつづけたのだ。

ウォルター・シッカートは、職業上というより、生まれながらの役者だった。彼は妄想にいろどられた秘密の人生の、主役として生きた。ひと気のない通りを闇にまぎれてこっそり歩きまわることも、ざわめく群衆にまぎれこむことも、彼にとっては造作《ぞうさ》なかった。シッカートはさまざまな声を使いわけることができた。メーキャップをして衣裳をつけるのも得意だった。変装の名人で、少年のころだれかになりすますと、隣人や家族にも見破られなかったという。

著名な画家としての長い人生のあいだに、シッカートはいろいろなつけひげを使ってたえず外見を変え、舞台衣裳のような妙な服をきて、髪型を変えることで知られていた。髪をそってしまったこともある。友人のフランス人画家、ジャック＝エミール・ブランシュによると、シッカートは「変幻自在」だった。「着るものや髪型、話しかたで別人になりすます才能は、フレゴリにも劣らないほど」と、ブランシュは書いている。一八九〇年にウィルソン・スティアが描いた彼の肖像画では、シッカートはリスのしっぽのような、にせものっぽいひげを口のうえにつけている。

シッカートは偽名を使うことも好んだ。俳優としての芸名、水彩画や油絵、エッチング、デッサンなどの作品と、画家仲間や友人、新聞社にあてたおびただしい数の手紙のサインには、さまざまな名前が見られる。ミスター・ニーモ（「ミスター・ノーボディ《無名の人》」の意味のラテン語）、エンスージアスト《ファン》、ホイッスライト《ホイッスラーの信奉者》、ユア・アート・クリティック《あなたの美術評論家》、アウトサイダー、ウォルター・シッカート、シッカート、ウォルター・R・シッカート、リチャード・シッカート、W. R. シッカート、W. S.、

R.S.、S.、ディック、W.St.、Rd.シッカート・LL.D.、R.St.A.R.A.、RDStA.R.A.などだ。

シッカートは回顧録を書いていないし、日記や日程表もつけておらず、手紙や作品にもほとんど日付をいれていない。したがって特定の日や週、月、年にどこにいて、何をしていたかを知るのがむずかしい。一八八八年、八月六日にシッカートがどこで何をしていたかを示す記録は見つかっていないが、彼がロンドンにいなかったと考える理由はない。彼がミュージックホールでのスケッチに走り書きしたメモによると、二日前の八月四日にはロンドンにいたようだ。

五日後の八月十一日に、ホイッスラーが突然ロンドンで結婚した。ごく親しい人だけの内輪の結婚式に、シッカートは招かれていなかった。だが物見高い彼のことだから、こっそり見物せずにはいられなかっただろう。

偉大な画家ジェイムズ・マクニール・ホイッスラーは、「とびきり美しい」ビアトリス・ゴドウィンと熱烈な恋をした。ビアトリスはホイッスラーにとってもっとも大切な人となり、その人生を根底から変えることになった。一方、シッカートにとってもっとも大切な人のひとりはホイッスラーだった。シッカートの人生を根底から変えたのも彼だ。「なかなかいいやつだよ、ウォルターは」。一八八〇年のはじめには、ホイッスラーはよくそう言っていた。とびぬけた才能に恵まれたこの野心的な青年に、そのころはまだ好意をもっていたのだ。ホイッスラーが婚約したころにはふたりの友情はこわれかけていたとはいえ、やはりシッカートは崇拝すると同時にねたみ、憎んでいた巨匠にいきなり見捨てられたように感じて、大きなショックを受けたにちがいない。ホイッスラーと新妻は新婚旅行にフランスへいき、その年の終わりまで旅をつづけ、その後フランスに定住する計画をたてていた。

自分勝手で情熱的な天才画家、ジェイムズ・マクニール・ホイッスラーが幸せな結婚をすることに、かつての使い走り兼弟子のシッカートは、心を乱されただろう。シッカートは俳優として数多くの役を演じていた。魅力的な女たらしの役もそのひとつだ。しかし現実の彼はまったくちがった。シッカートは女性に依存しながら、女性を嫌悪していた。女は男より知的に劣っており、世話係、または絵や金のために利用するものとして以外は価値がないと見なしていた。女はシッカートの腹立たしく屈辱的な秘密を思いださせる、危険な存在だった。その秘密は彼が生きているあいだはもちろん、死んでからもあかされることはなかった。遺体を火葬すると肉体についての情報はすべて失われるからだ。シッカートは生まれつきペニスに奇形があり、幼児のころに数回の手術を受けている。切断されはしなかったろうが、変形したにちがいない。おそらく彼は勃起《ぼっき》することができなかっただろう。挿入できるほどペニスが残らなかったかもしれないし、排尿するときも女性のようにしゃがまなければならなかった可能性もある。

「この一連の犯罪の犯人には、重大な肉体的欠陥があるのではないかというのが、私の説です」。ロンドンの公文書館に保存されているホワイトチャペル殺人事件に関するファイルの、一八八八年十月四日付けの手紙には、そう書かれている。「――一物を切りとられたのかもしれません――こうした凶行により、彼は女性に対する恨みをはらそうとしているのでしょう」。この手紙は紫の色鉛筆で書かれ、「Scotus《スコトゥス》」とサインしてある。このなぞめいた言葉は、スコットランド人をあらわすラテン語だ。「スコットランドの」という意味の「Scotch」には、浅い切り傷、切る、などの意味もある。あるいはこれは九世紀の神学者、文法学者ヨハネス・スコトゥス・エリウゲナにちなんでいるのかもしれないが、博学ぶりをひけらかすような、奇妙な引用だ。

ホイッスラーが恋をし、女性と性的な関係を楽しんでいるという思いが、シッカートを史上もっとも危険で不可解な殺人鬼に変身させるきっかけとなったのかもしれない。これ以後、彼は昔から考えていたことを、実行にうつしはじめた。その筋書きは頭のなかで思い描いていただけではない。彼の少年時代のスケッチには、女性が誘拐され、縛られ、刺される場面が描かれている。

残忍で凶暴な殺人犯の心理は、点をむすんでいくことであきらかになるわけではない。明快な説明はできないし、はっきりした因果関係を見出すことも不可能だ。しかし人間性のコンパスがある方向を示すことはありうる。ホイッスラーが建築家で考古学者のエドワード・ゴドウィンの未亡人と結婚することが、シッカートの感情を逆なでしたことは想像にかたくない。ゴドウィンは女優のエレン・テリーと同棲して、彼女とのあいだに子供をもうけていた。

官能的な美しさをもつエレン・テリーは、ヴィクトリア朝のもっとも有名な女優のひとりだ。シッカートは異常なまでに彼女に執着していた。十代のころ、エレンと相手役のヘンリー・アーヴィングをストーキングしたこともある。結婚によりホイッスラーはシッカートの執着の対象、それもひとりだけではなく両方とつながりができたのだ。シッカートの宇宙における三つの星はひとつの星座をなすことになったが、そのなかに彼はふくまれていなかった。三つの星はシッカートのことなど気にもしていなかった。彼はまさにミスター・ニーモだった。

だが一八八八年の夏の終わりに、シッカートは新たな舞台名を自分に与えた。生きているあいだは彼と結びつけられることのなかったその名前は、やがてホイッスラー、アーヴィング、テリーのいずれよりもはるかによく知られることになる。

切り裂きジャックがはじめてその凶暴な妄想を現実のものとしたのは、楽しかるべき休日の一八八八年八月六日だった。その日、彼は袖から舞台へ登場し、一連のおそろしい公演の初演にのぞんだ。それらは史上もっとも有名な迷宮入り殺人事件として知られることになる。彼の凶行は、はじまりも終わりも突然だったと思われている。犯人はどこからともなくあらわれて犯行におよび、その後姿を消してしまったというのだ。広く信じられているこの説は、実はあやまりだ。

十年、五十年、そして百年がすぎて、彼がおかした血なまぐさい性犯罪の衝撃はうすれている。いまやそれらは「なぞとき」やミステリーツアー、ゲーム、テン・ベルズ・パブでの一杯で終わる「切り裂きジャックめぐり」となっている。粋なジャック（切り裂きジャックは自らをそう呼ぶこともあった）は、有名な俳優が出演する特殊効果満載の、非現実的な映画の主人公になっている。そうした映画では、彼が求めてやまなかった血が大量にほとばしる。だが切り裂きジャックの残虐な殺人はもはや恐怖も怒りも、あわれみさえももたらさない。墓標のない墓にほうむられた被害者は、静かに朽《く》ちはてていくのみだ。

2 見学

二〇〇一年のクリスマスのすこし前、わたしはニューヨークのアパーイーストサイドにある自分のアパートへむかって歩いていた。あかるい気分で落ち着いているふりをしていたが、意気消沈し、動揺していることはあきらかだったと思う。

その晩のことはよくおぼえていない。何人かで食事をしたが、どこのレストランだったかも忘れてしまった。レスリー・ストールが、「シックスティミニッツ」のためにおこなった最新の調査に関するこわい話をしたことと、みんなが政治や経済の話をしていたことはうっすらとおぼえている。わたしはいつものように「やればできる」式の景気づけの口上や、「自分の好きなことをやるべき」といったおきまりの文句を口にしていた。自分自身や仕事のことを話したくなかったからだ。その仕事はわたしの人生をめちゃめちゃにするのではないかと不安だった。いまにも胸のなかでいらだちが爆発しそうで、心臓がしめつけられるような気がした。

食事が終わると、わたしの著作権代理人《リテラリー・エージェント》エスター・ニューバーグとふたりで、自分たちの家の方角へむかった。犬を散歩させている人や、携帯電話で大声でしゃべっている人たちとすれちがう。暗い歩道を無言で歩いた。タクシーや警笛の音にも気づかなかった。どこかのごろつきにおそわれるか、ブリーフケースをひったくられるところを想像しはじめた。そいつを追いかけて足首をつかみ、地面にひきたおしてやろう。わたしは百六十五センチで体重五十四キロ。足は速い。そいつに思い知らせてやる。手加減などするものか。変質者におそわれたらどうするかも考えた。暗がりでそいつがうしろから忍びよってきて、いきなり……

「進みぐあいはどう？」と、エスターがたずねた。

「本当のことをいうとね……」とまず言った。エスターに本当のことを言うことはめったにない。

エスターやわたしの本の発行者のフィリス・グランに、仕事に関して自信がないとか不安を感じていると正直に言うことはまずなかった。ふたりは作家としてのわたしのキャリアのなかで重要な地位をしめており、わたしを信頼してくれている。切り裂きジャックについて調査して、その正体がわかったとわたしが言えば、ふたりとも何の疑念もいだかずにそれを信じてくれる。世界貿易センターに最初の飛行機がつっこんだのは、エスターとフィリスが電話でこの本についての契約の交渉をしているときだった。それを前兆とみるべきだった。

「すごくつらいの」と、告白した。困ったことに、泣きたいような気分だった。

「そうなの？」大またで勢いよく歩いていたエスターが、レキシントン・アヴェニューでいっとき歩調をゆるめた。「つらいの？　ほんと？　なぜ？」

「この本、いやでたまらないわ、エスター。いったいどうしてこんなものに……彼の絵と人生についてちょっと調べただけなのに。そうしたらつぎつぎにいろんなことがでてきて……」

エスターは無言だった。

昔から不安やとまどいを見せるより、怒りをぶつけるほうがわたしには楽だった。いまやウォルター・リチャード・シッカートに人生をのっとられつつあるような気がした。「わたし小説を書きたいの。あいつのことなんか書きたくない。ちっとも楽しくないわ」

「そういうことなら」エスターはまたさっさと歩きだしながら、落ち着きはらって言った。「やめてもいいのよ。話はつけられるわ」

話をつけてもらうことはできるかもしれないが、自分を納得させるのは無理だった。殺人犯の正体がわかったのに、知らん顔をするわけにはいかない。「いきなり人を裁く立場にたってしまったわ」と、エスターに言った。「相手が故人だろうと、関係ない。ときどき、小さな声がささやきかけてくるの。『もしまちがいだったらどうするつもり？』って。こんなことを書いて、それがまちがいだとわかったら自分を許せないわ」

「でも、まちがっているとは思わない……」

「そう。正しいわ、ぜったいに」

すべては偶然からはじまった。のどかな田舎の小道をわたろうとして、いきなりセメント車と衝突したようなものだ。二〇〇一年の五月、わたしはジェームズタウンの遺跡発掘の宣伝をするため、ロンドンにいた。ニューヨーク地区検事局性犯罪課の責任者である友人のリンダ・フェアスタインがたまたま同じ時期にロンドンに滞在しており、スコットランド・ヤード（注：ロンドン警視庁の通称）を見学してみないかと誘ってくれた。

「いまはちょっと」と、答えた。だがそう言いながらも、わたしが新たな警察署や研究所、モルグ、射撃練習場、墓地、刑務所、犯罪現場、法執行機関、解剖学博物館を見学する気になれないことがあるのを読者が知ったら、きっとがっかりするだろうと思った。

外国へ旅行したとき、暴力や悲劇のあとを見学するようにという誘いを受けてさまざまな都市をおとずれることが多い。ブエノスアイレスでは、招待者が誇らしげに犯罪博物館を案内してくれた。そのなかのある部屋には、切断された人間の頭のホルマリン漬けがはいったガラス箱がならんでいた。その不気味な展示室へはいれるのは指折りの悪名高い犯罪者だけだという。こんな扱いを受けるのも自業自得なのだろう。どんよりした目でこちらを見つめる彼らの顔をながめながら、そう思った。アルゼンチンの北西部にあるサルタという町では、神々を喜ばせるために生き埋めにされた、五百年前のインカの子供たちのミイラを見せられた。数年前にロンドンへいったときは、疫病による死者を葬った室でVIP待遇を受けた。泥のうえには人骨が散乱しており、それをふまずに歩くのはむずかしいほどだった。

わたしはバージニア州リッチモンドの検屍局で六年間働き、コンピュータープログラムの作成や統計分析をおこなうほか、モルグでの助手もつとめた。法病理医のことばを書きとり、臓器の重さをはかり、傷の形や大きさを記録した。抗うつ薬をのまずに自殺した人がもっていた処方薬を調べ、服をぬがされることに頑強に抵抗する硬直した遺体を裸にするのを手伝い、試験管にラベルをはり、血をふきとった。死を目にし、それにふれ、においをかぎ、味わいさえした。なぜならその臭気はのどの奥にこびりつくからだ。

殺人の被害者の顔やささいなディテールは、すべておぼえている。これまでに何人見ているだろう。多すぎてとても数えきれない。ことがおこる前に彼らを大きな部屋に集めて、こう言ってあげたかった。ドアに鍵をかけて。警報装置をつけるか、せめて犬を飼って。そこに車をとめないで。ドラッグに手をださないで。十代の少年の洋服のポケットにはいっていた、ブルートのデオドラントのひしゃげたスプレー缶を目にうかべると胸が痛む。その子は調子にのってピックアップトラックの荷台のうえに立ちあがった。そのときトラックが橋のしたをくぐろうとしていたことに気づかなかったのだ。飛行機からおりるときに先が金属の傘をわたされて雷に打たれた男性のことを思いだすと、運命がいかに気まぐれかを思わずにはいられない。

暴力に対する強い好奇心は、いまや冷静さというよろいに変わっている。それはわたしを守ってはくれるが、ひどく重たいので死者のもとをおとずれたあと、まともに歩けなくなることもある。血まみれで路上に、または解剖台のうえに横たわった死者が、わたしのエネルギーを求め、必死にそれを吸いとろうとするかのようだ。けれども彼らが生き返ることはなく、わたしは活力を吸いとられたままになる。殺人はなぞときではない。わたしの使命はペンによってそれと闘うことだ。

見学してはどうかとリンダ・フェアスタインが誘ってくれたとき、「疲れているから」とことわったら、自分を裏切るだけでなく、スコットランド・ヤードやすべての法執行機関を侮辱《ぶじょく》することにもなっただろう。

そこで彼女にこう言った。「ありがたいわ。スコットランド・ヤードへはまだいったことがないの」

翌朝、副警視監のジョン・グリーヴと会った。彼はイギリスでもっとも尊敬されている捜査官で、切り裂きジャックの犯罪の権威でもあった。わたしはその伝説的なヴィクトリア朝の殺人鬼に、多少興味をおぼえた。それまで切り裂きジャックに関する本は読んだことがなく、その殺人については何の知識もなかった。被害者が売春婦だったことも、彼女たちがどんなふうに殺されたのかも知らなかった。わたしはいくつか質問した。「検屍官」シリーズのつぎの作品にスコットランド・ヤードを使えるかもしれないと思った。それなら切り裂きジャックの犯罪についての詳しい事実を知っておく必要がある。もしかするとスカーペッタがそれらに新たな光をあてることができるかもしれない。

切り裂きジャックの犯罪現場、といっても百十三年たってわずかな名残をとどめているだけの現場だが、それらに案内してあげよう、とジョン・グリーヴが申しでてくれた。そこでアイルランドへいくのをとりやめ、凍えるような寒い雨の朝、有名なミスター・グリーヴとハワード・ゴスリング警部補とともにホワイトチャペルとスピタルフィールズを歩きまわった。マイター・スクエアやミラーズ・コートへもいった。ここでメアリー・ケリーは切り裂きジャックと呼ばれる連続殺人犯の手で、骨が露出するまで肉をはがされたのだ。

「現代の科学捜査の手法を使って、これらの犯罪を解明しようとした人はいないんですか？」と、わたしはたずねた。

「いませんね」とジョン・グリーヴは答え、可能性の低い少数の容疑者の名前をあげてから言った。「もうひとり、気になる人物がいるんです。取材なさるのなら、そいつのことも調べるといい。ウォルター・シッカートという画家なんですが、殺人の絵をいくつか描いています。とくに注意をひくのはそのなかの一枚です。服を着た男性がベッドのはしにすわっていて、彼が殺した売春婦が裸でそばに横たわっている。『カムデン・タウンの殺人』という作品でね。彼のことは昔から心にひっかかっているんです」

シッカートが切り裂きジャックの犯罪と結びつけられたのはそれがはじめてではない。だがほとんどの人はそうした説を一笑に付す。

シッカートのことが気になりだしたのは、彼の画集を見ているときだ。最初に目にとまったのは一八八七年に制作されたもので、メリルボン・ミュージックホールの舞台に立つヴィクトリア朝の有名な歌手、エイダ・ランドバークを描いた絵だ。歌っているところなのに叫んでいるように見え、いやらしい目つきのおそろしげな男が彼女を見つめている。シッカートの絵にはさまざまな芸術的解釈ができるにちがいない。

だがわたしが見るところでは、彼の絵には病的なかげと凶暴性と、女性への憎しみがあらわれているようだ。シッカートと切り裂きジャックについて調べていくうちに、気になる共通点が見えはじめた。彼の絵のなかには、死体置場や現場で撮った切り裂きジャックの被害者の写真に、ぞっとするほど似ているものがある。

陰気な寝室で裸の女性が鉄のベッドに腰かけ、服をきた男が鏡にぼんやりうつっている絵。暴力と死がさし迫っている印象の絵。ハンサムで魅力的な男にさそわれて危険な状況におちいっているのに、それと気づかない女性の絵。そうした作品には、創造性と邪悪さが混在している。わたしは現代の法科学と専門家が発見した物的証拠に、状況証拠の数々をつけ加えていった。

その過程で、DNA鑑定ができることを法科学者たちとともに期待していた。だが七十五年から百十四年も前の遺伝的証拠のかすかなかげが見えはじめたのは、それから一年以上たち、百回をこえる検査をしてからだった。それらの証拠はウォルター・シッカートと切り裂きジャックが切手や封筒のふたをさわったりなめたりしたときに残されたものだ。口腔内の細胞が唾液にまじり、接着剤のなかにとじこめられたのだ。DNAの専門家がピンセットと滅菌水と綿棒を使って、遺伝子マーカーをとりだした。

切り裂きジャックの手紙一通から、はっきりした結果をえることができた。この手紙からひとりの人間のミトコンドリアDNA配列がわかったのだ。それにより人口の九九パーセントを、その切手ののりをなめたりさわったりした人物ではないとして排除することができる。切り裂きジャックのべつの手紙一通と、シッカートの手紙二通から、同じDNA塩基配列が見つかった。

このDNA配列は、シッカートが絵を描くときに着ていたカバーオールなど、彼の他の所持品からも見つかっている。ひとりの人間のDNAがえられた切手以外のものには、ほかの人のDNA配列もまじっている（それは当然予想されることで、そのために証拠の価値が減るわけではない）。これほど古いDNAが犯罪捜査のために検査されたのははじめてだ。

これははじまりにすぎない。DNA鑑定や他の法医学的分析はまだ終わっていない。テクノロジーの進歩とともに、この先何年もつづけられるだろう。

物的証拠はほかにもある。法科学者と美術、紙、筆跡学の専門家によって、つぎのような事実がつきとめられた。切り裂きジャックの手紙のうち一通は絵画用紙に書かれている。何通かの手紙が書かれた紙の透かしは、シッカートが使っていた便箋《びんせん》の透かしと同じ。何通かの手紙は、石版印刷に使うろう質のやわらかいクレヨンのようなグラウンド（注：エッチング制作で版面にぬる防食剤）で書かれている。切り裂きジャックの手紙には絵筆で絵の具やインクをぬったものがある。顕微鏡検査の結果、手紙についた「乾いた血」は、エッチンググラウンドに使う樹脂とろうの混合物であることがわかった。紫外線をあてると乳白色の光を発することも、それらがエッチンググラウンドであることを裏づけている。美術の専門家によると、手紙に描かれたスケッチはプロの手になるもので、シッカートの作品やテクニックと一致しているという。

余談だが、切り裂きジャックの手紙にぬりつけられた血のようなエッチンググラウンドから血液が検出されるかどうかを検査したところ、不確定という興味深い結果がでた。こうした結果がでるのは非常にめずらしい。考えられる理由はふたつある。エッチンググラウンドには銅の微粒子がはいっているからというのがひとつ。こうした検査では、検体に銅がまじっていると不確定、または偽陽性という結果がでることがあるのだ。ふたつめは、茶色のエッチンググラウンドに血液がまじっていたというものだ。

切り裂きジャックのあざけりの手紙に見られる筆跡のくせや、それを書いたときの手の位置は、筆跡を変えた彼のほかの手紙のくせや手の位置と一致している。それらは、シッカートの一貫性のない筆跡からうかがえるものとも共通している。

切り裂きジャックがスコットランド・ヤードへ送った手紙とシティ警察へ送った手紙は、使われている用紙は同じだが筆跡はちがっている。シッカートは右ききだったが、彼が七十代のときに撮影されたビデオを見ると、左手も上手に使えたことがわかる。筆跡鑑定家のサリー・バウアーによると、切り裂きジャックの何通かの手紙は、右ききの人間が左手で書くことで筆跡を変えているという。切り裂きジャックが実際に書いた手紙の数は、切り裂きジャックの手紙とされているものよりはるかに多いことはあきらかだ。おそらく手紙の大半は彼が書いたと思われる。つまりウォルター・シッカートがそれらを書いたのだ。画家であるシッカートにとって、筆跡を変えることはむずかしくなかっただろう。だが彼の傲慢《ごうまん》さと言葉づかいの特徴は、隠しようがなかった。

シッカートが連続殺人犯、そして誇大妄想《こだいもうそう》と憎しみにつき動かされた極悪非道な人間だったという事実を受けいれず、私利私欲からそれを疑い、批判するものは必ずいる。すべては偶然にすぎないと主張するものもいるだろう。

しかしFBIのプロファイラー、エドワード・サルズバックが言うように、「偶然はこの世にさほど多くはない。たびかさなる偶然をすべて偶然と考えるのはばかげている」。

スコットランド・ヤードのジョン・グリーヴとはじめて会ったときから十五ヵ月後、ふたたび彼と会って調査の結果を話した。

「もしあなたが事件当時の担当刑事だったとして、こうしたことが全部わかったら、どうします？」と、彼にたずねた。

「ただちにシッカートを監視下においてやつの隠れ家（秘密の部屋）をさがします。見つかったら、捜索令状をとりますね」イースト・エンドにあるインド料理屋でいっしょにコーヒーをのみながら、彼は答えた。

「いまある以上の証拠が手にはいらなくても、この事件を公訴局に提出します」

3　不運な者たち

みんなが楽しみにしていた八月六日のバンク・ホリデイには、ウォルター・シッカートもロンドンのさまざまな催しに足をはこんだにちがいない。絵は好きだがふところはさびしいという人は、たった一ペニーで、ごみごみしたイースト・エンドで開催されている各種の展示会へはいることができた。金に余裕のある人は一シリングはらって、ニューボンド・ストリートにある入場料の高いギャラリーで、コローやディアズ、ルソーの傑作を見た。

市街電車も無料だった。すくなくともホワイトチャペルへいく電車にはただで乗ることができた。そこは衣料品の工場の多いにぎやかな地区で、行商人や商人、両替商が週七日、大声で品物やサービスの呼び売りをしている。ぼろをまとった子供たちが悪臭のただよう通りをうろついて食べ物をさがし、見知らぬ人から小銭をだましとる機会をうかがっている。ホワイトチャペルにはヴィクトリア朝のふつうの市民が「ごみための住人」と呼ぶ、最下層の貧民が暮らしていた。ここへくればわずかな金で軽《かる》業《わざ》や犬の芸、動物の見世物を見たり、酔っぱらったり、売春婦とセックスすることができた。「不運なもの」と呼ばれるこうした女たちの数は、何千人にものぼった。

マーサ・タブランもそのひとりだった。年は四十前後で、家具問屋の荷造り人のヘンリー・サミュエル・タブランと別居していた。彼はマーサが大酒をのむことにへきえきして彼女のもとを去った。だが毎週十二シリングの手当を彼女に与えるだけのまっとうさをもちあわせていた。しかしマーサがべつの男――ウィリアム・ターナーという大工――といっしょに暮らしているときくと、それをうち切った。ターナーもやがてマーサの飲酒癖にいやけがさし、二、三週間前に彼女と別れていた。最後にマーサと会ったのは、事件の二日前の八月四日土曜日の夜だった。その晩、シッカートもストランド街の近くのガッティズ・ミュージックホールで、スケッチをしていた。ターナーはマーサに小銭をわたしたが、彼女はそれをすべて酒に使ってしまった。

何百年も前から、ある種の女性が売春をするのは、遺伝的な欠陥のためセックスの快楽を求めずにはいられないからだと考えられてきた。そうした説によると、不道徳な、あるいはふしだらな女にもいくつかのタイプがあり、比較的ましなのと、どうしようもないのがいる。めかけや情婦、尻軽女もけっしてほめられるべき存在ではないが、もっとも罪深いのは売春婦だった。彼女たちは自分の意思で売春をしており、その「みだらで忌《い》まわしい生きかた」をやめようとしない、とトマス・ヘイウッドは一六二四年に発表した女性の歴史についての著作で述べている。「そうした女たちのなかでも名うてのひとりの言葉を思いだすと、心が重くなる」と彼はいう。「いったん娼婦になったら、一生娼婦のままよ。あたしを見てごらん」と彼女は言ったという。

性行為は種の存続という目的のために神が定めたもので、結婚生活のなかでのみ許されるものと考えられていた。女性の宇宙の中心は子宮であり、月経周期により抑えがたい性欲、ヒステリー、狂気といった変調がおこる。女は卑《いや》しい生きものであり、合理的、抽象的な思考ができないという説を、ウォルター・シッカートは信奉していた。女には絵はわからない、と彼は公言してはばからなかった。女性が絵に興味をもつのは「虚栄心を満足させる」ため、あるいは「女がみな熱心に研究する社会的な格づけ」を高めるためだという。ごくまれに才能のある女性もいるが、彼女たちは「男とみなしてよい」と、シッカートは言っている。

彼の見方はその時代にはめずらしくなかった。女性はちがう「種族」であると思われていた。避妊は神と社会への冒瀆《ぼうとく》と見なされたため、女性はどんどん子供を産み、貧しい生活を余儀なくされた。女性がセックスを楽しむことが許される唯一の理由は、オーガズムによって受胎に必要な体液が分泌されるためと考えられていた。夫婦生活以外で、あるいは自慰によって「スリル」、すなわち肉体的悦《よろこ》びをえるのは、心身の健康とたましいの救済をさまたげる悪しき行為だった。十九世紀のイギリスの医者のなかには、自慰を矯正《きょうせい》するため、陰核《いんかく》切除をおこなうものもいた。「スリル」のための「スリル」、とくに女性がそれを求めるのは忌まわしいことであり、よこしまなこと、粗野なことだった。

キリスト教徒はみな、忌むべき話を耳にしていた。ヘロドトスの時代のばちあたりなエジプトの女たちは、神に挑戦するかのように、激しい情欲に身をまかせて、おおっぴらに性を楽しんだという。そうした野蛮な時代には、金のために欲望を満足させるのは恥ずべきことではなく、むしろ望ましいことだった。旺盛な性欲は悪ではなく、好ましいものと見なされていた。美しい娘が死ぬと、遺骸が腐りかけて防腐処置をほどこさねばならなくなるまで、血気盛りの男たちがその肉体を楽しむのは、あたりまえのことだった。こうした話が上品な集まりで話題にのぼることはなかったが、シッカートが生きていた十九世紀のきちんとした家庭の人々はみな、聖書のなかで娼婦はいやしいものとして描かれていることを知っていた。

最初の石を投げるのは罪のない人間だけという教えは、忘れられていた。打ち首やしばり首の公開処刑を見物しようとつめかける群衆を見れば、それはあきらかだった。「親の罪は子に報いる」という通念がどこかで、「母親の罪は子供に受けつがれいうる」に変わっていた。「女性が貞操《ていそう》をやぶると、汚名と恥辱《ちじょく》がもたらされるだろう」と、トマス・ヘイウッドは書いている。不道徳な女性がおかした罪は「子孫へも及。

彼らは不義の交接により生じた、邪悪な種から生まれいでたものであるから」とぶ。

二百五十年後、英語はいくらかわかりやすくなったが、女と不品行についての考えは、ヴィクトリア朝になっても変わらなかった。性交の目的は生殖で、「スリル」は受胎をうながすもの、という説だ。医者もこれを支持したため、女性が妊娠するには「スリル」が必要という俗説は、医学的事実であるとされた。もしレイプされた女性が妊娠したら、彼女は性行為のあいだにオーガズムを経験したはずだから、性交は強要されたのではない。もし妊娠しなければオーガズムに達していないのだから、犯されたという彼女の主張は真実だろうとみなされた。

十九世紀の男たちは女性のオーガズムにひどくこだわっていた。「スリル」がとても重視されていたので、おそらく「ふりをする」ケースもあっただろう。それを身につければ、不妊を男性のせいにすることができる。オーガズムをえられない女性がそのことを正直に認めると、女性のインポテンツと診断される可能性があった。そうなると医師による検査が必要になる。クリトリスと乳房を指で刺激するだけで、患者がインポテンツかどうかはおおむね判断できた。もし検査中に乳首がかたくなったら、予後は良好だった。患者が「スリル」を経験すれば、夫は妻が健康であることを知って満足することになる。

ロンドンの売春婦たち——新聞、警察、大衆の呼びかたにならえば「不運なもの」は、「スリル」を求めて寒くて暗い不潔な通りをうろついていたわけではない。だがヴィクトリア朝の多くの人々は、売春婦は飽くことなき性欲を満足させるため、好んで売春するのだと思っていた。彼女たちがその悪しき生きかたをあらためて神に救いを求めれば、パンと宿が与えられるはずだった。神は自分をたよるものの面倒をみてくださる。救世軍のボランティアの婦人たちはそうした信念を抱いてイースト・エンドのスラムへ出かけていき、小さなパンと神の約束を人々に分け与えた。マーサ・タブランのような売春婦はありがたくパンを受けとり、また通りへでていった。

養ってくれる男がいない女にとって、自分や子供の食いぶちをえるための手段はわずかしかなかった。雇い口を見つけることができたとしても、低賃金、長時間労働の上着製造工場で日に十二時間、週に六日はたらいて、二十五セント相当の週給をもらうというたぐいの職だ。マッチ箱をのりづけする作業を日に十四時間、週に七日つづけて、週に七十五セントもらえるような仕事でも、見つけられれば幸運だと見なされていた。賃金の大部分は強欲なスラムの悪徳家主にしぼりとられてしまう。食べ物は母子が通りやごみ箱をあさって手にいれた、くさりかけた果物や野菜だけということもめずらしくなかった。

生きることに必死な女たちは、近くの波止場に停泊している外国船の船員や軍人、女をあさろうとひそかに街をうろつく上流階級の男たちに、わずかな金で身体を売った。やがてその身体は、イースト・エンドの人々が住むノミやシラミだらけのぼろ家と同じように荒廃していった。栄養不良、過度の飲酒、肉体の酷使《こくし》のため、そうした女たちはすぐに健康を害し、ますます社会の底辺へと沈んでいく。彼女たちはなるべく人通りのない暗い通りや階段の吹き抜け、中庭を仕事の場にえらぶ。本人も客もぐでんぐでんに酔っぱらっていることが多かった。

アルコールは現状を忘れるためのてっとりばやい方法だったので、作家のジャック・ロンドンが「奈落」と呼んだイースト・エンドの住人には、驚くほどアル中が多かった。売春婦はみなそうだったと思われる。彼女たちは病んで老けこみ、夫や子供からも見放されていたが、教会の施《ほどこ》しを受けるわけにはいかなかった。施しには酒がふくまれていなかったからだ。こうした哀れな女たちはパブへかよって男に酒をおごってもらい、そのあとに商売をした。

天気がどんなに悪かろうと、彼女たちは夜行動物のように夜の街をうろつき、男をさがした。荒っぽい相手、むかつくほどいやな相手でも、快楽のために数ペニー使おうという男なら、だれでもよかった。行為は立ったままでおこなうことが多かった。

重ね着している衣類のすそをからげ、客に背をむけて立つ。運がよければ相手がへべれけに酔っていて、ペニスが身体の開口部ではなく、腿《もも》のあいだに挿入されていることに気づかないかもしれない。

　マーサ・タブランはウィリアム・ターナーに去られたあと、家賃がはらえなくなった。下宿屋をでてからはどこにいたのかはっきりしないが、おそらく簡易宿泊所を出たり入ったりしていたのだろう。あるいは、宿と酒のどちらをとるか選択の余地があれば酒をとり、民家の軒下や公園、路上で寝ては警官に追いはらわれていたのかもしれない。八月四日と五日の夜は、ドーセット・ストリートの簡易宿泊所にとまっていた。そこはコマーシャル・ストリートにあるミュージックホールのすぐ南にあった。

　八月六日のバンク・ホリデイの夜、マーサはパーリー・ポルことメアリー・アン・コノリーと出会っていた。その日は一日天気が悪かった。くもって空もようが変わりやすく、夏だというのに気温は十一度まで下がっていた。午後の霧は濃霧に変わり、新月をおおい隠していた。霧は翌朝七時ごろまで晴れないという予報だった。しかしふたりは悪天候になれていた。寒くて不快だったにはちがいないが、低体温症になる心配はまずなかった。街娼はみなもっている衣類をすべて身につけて歩いた。きまった住まいのないものは、宿泊所にもちものをおいておけば盗まれることはわかりきっていたからだ。

夜がふけてもあたりはにぎやかで、さかんに酒がくみかわされていた。ロンドンっ子たちは休日の残りをめいっぱい楽しもうとしていた。芝居やミュージカルはたいてい八時十五分にはじまるので、そのころにはもう終わっていた。飲み物やさらなる娯楽を求めて、芝居通や遊び人たちが辻馬車で、または徒歩で、もやにおおわれた街にくりだしていた。天気のよい日でもイースト・エンドの夜は視界がきかない。ガス灯はまばらにしかなく、ぼんやりした光をはなつだけなので、闇は深かった。そこは街娼たちの世界だった。彼女たちは昼間眠り、起きて酒をのんでもうろうとした状態で、また不潔で危険な夜の仕事へ出かけていくのだ。

大気汚染がとくにひどく、汚れた空気が目や肺を刺激するようなとき以外は、霧がでていようが関係なかった。霧がたちこめていれば、客がどんな姿かたちをしているか気にする必要がないし、顔も見えない。そもそも客がどんな男かなど、どうでもよかった。彼が売春婦に個人的な興味をもち、部屋と食べ物をあてがってくれるのなら話はべつだ。その場合は客が重要な意味をもってくる。しかし盛りをすぎ、こじきのようなかっこうをし、傷あとがあったり歯がぬけていたりする女にとって、重要な意味をもつ客などいるはずがなかった。霧にまぎれてはやいところ仕事をすませ、小銭を手にいれてまたいっぱいやり、場合によってはまた小銭かせぎをしてから寝るというのが、マーサ・タブランの日課だったろう。

彼女が殺害されるまでの足どりは詳しく記録され、信頼できるものとされている。だがパーリー・ポルという大酒のみの売春婦の記憶の明晰《めいせき》さと正確さについては、疑問をもつものもいる。わたしもそのひとりだ。彼女は警察で事情をきかれ、その後八月二十三日に検視審問で証言している。そのとき意識的に偽証はしなかったにしても、おそらく混乱し、酒のため記憶があいまいになっていたと思われる。パーリー・ポルはおびえていた。気が動転してテムズ川に身を投げたいほどだ、と警察に語っている。

審問のあいだ、宣誓したことを忘れないようにと何度か注意されながら、パーリー・ポルは証言した。それによると八月六日の夜十時ごろ、彼女とマーサ・タブランはホワイトチャペルでふたりの兵士と酒をのみはじめた。十一時四十五分になると、二組のカップルはそれぞれ別の行動をとった。パーリー・ポルが検視官《コロナー》と陪審員に語ったところによると、彼女は「伍長」とふたりでエンジェル・コートへいき、マーサは「兵卒」といっしょにジョージ・ヤードへ向かった。兵士たちの帽子には、白いすじがはいっていた。パーリー・ポルが最後にマーサと兵卒を見たとき、ふたりはイースト・エンドのスラムの奥深く、コマーシャル・ストリートに面した荒れはてた棟割長屋、ジョージ・ヤード・ビルディングへ向かって歩いていた。その晩、マーサといっしょにいるあいだ変わったことは何もおこらなかった、とパーリー・ポルは証言している。兵士たちとは楽しくすごした。けんかや口論はなかった。あらゆることを経験しながら長年スラムで生きぬいてきたパーリー・ポルとマーサに、すこしでも警戒心を抱かせるような行為はいっさいなかった。

十一時四十五分以後、マーサに何がおこったのかは知らないとパーリー・ポルは言う。「不道徳な目的」のために伍長とその場を去ってからの、彼女自身の行動の記録もない。マーサが殺されたことを知ると、パーリー・ポルはわが身のことが心配になり、警察にあまり情報を与えないほうがよいと考えたのかもしれない。やつらのことだから話をきいたのち、「五千人の同類のスケープゴート」として、彼女を監獄へ送りかねない。パーリー・ポルは最後まで証言を変えず、自分はエンジェル・コートへいったと主張した。エンジェル・コートはシティのなかにあり、彼女がマーサと別れた場所からゆうに一キロ半はある。シティは首都警察、つまりロンドン警視庁の管轄ではなかった。

世間ずれしたぬけめのない売春婦が、あえて首都警察の権限がおよばないところへ話をもっていったのは、複数の機関が管轄権をもって互いにはりあう、ややこしい捜査になることを巡査や捜査官がさけようとすることを知っていたからだ。「スクエア・マイル」として知られるロンドンのシティはきわめて特異な地区で、その由来はローマ人がテムズ川の岸にこの町を築いた紀元一年にまでさかのぼる。シティはいまなお自治都市として市政をおこなっており、独自の警察をもつ。警察が守っているのはシティの六千人の居住者だが、就業時間にはその数は二十五万人以上にふくれあがる。

歴史的に、シティはグレーター・ロンドンの抱える問題にはかかわろうとしない。関心をもつのは、それがシティの自治権や住民の生活の質に影響を与える場合のみだ。シティは広がっていく都市のまんなかの、がんこで豊かなオアシスだ。ふつうロンドンといえばグレーター・ロンドンのことをさす。観光客の多くはシティの存在すら知らない。パーリー・ポルが首都警察をさけるため、あるいは何か他の理由で本当にひと気のないシティに客をつれていったのかどうかは不明だ。実際はシティへはいかず、近場でてばやく仕事をすませてわずかな金をもらい、もよりのパブへいったかドーセット・ストリートへもどって寝たのかもしれない。

パーリー・ポルが最後にマーサを見たという時刻の二時間十五分後、首都警察H管区に所属する巡査番号二二六のバレット巡査が、ウエントワース・ストリートをパトロールしていた。この通りはジョージ・ヤード・ビルディングの北を走っており、コマーシャル・ストリートと交差する。

午前二時ごろ、バレットはひとりで立っている兵士に気づいた。白いバンドのついた帽子をかぶっているところから、近衛《このえ》歩兵連隊に所属する兵卒だと思われた。年齢は二十二から二十六のあいだ、身長は百七十五から百七十七センチぐらいだった。きちんと軍服を着たその青年は色白で、両端が上をむいたこげ茶色の小さな口ひげをたくわえており、善行章以外の勲章《くんしょう》はつけていなかった。彼は「女といっしょにどこかへいった友人を待っているところだ」と、バレット巡査に話した。

この短い会話がかわされているころ、ジョージ・ヤード・ビルディングに住むマホーニー夫妻が、のちにマーサの遺体が発見された階段の踊り場をとおったが、何の物音もしなかったし、人影もなかったという。その時点ではマーサはまだ殺害されていなかったと思われる。もしかすると彼女は近くの物陰にひそみ、ふたたび兵士とことをはじめられるよう、バレット巡査がパトロールを再開するのを待っていたのかもしれない。あるいは兵士はマーサとは何の関係もなく、混乱のもとになっただけとも考えられる。いずれにしても、バレット巡査が午前二時にジョージ・ヤード・ビルディングのそばにひとりで立っていた兵士に注意をひかれたことはたしかだ。彼が兵士を尋問したかどうかはともかく、兵士のほうはなぜ自分がそこにいるのかを説明する必要があると思ったのだ。

その兵士や、八月六日の夜と七日の早朝にパーリー・ポルやマーサとかかわった他の兵士の身元は不明のままだ。パーリー・ポルとバレット、そして通りでマーサを見かけた証人たちはいずれも、ロンドン塔の衛兵詰所やウェリントン兵舎にいる兵士のなかからその人物を特定することができなかった。多少とも似ているように思われる人間にはみな、信頼できるアリバイがあった。マーサ・タブランを殺害した犯人は返り血をあびているはずだったが、兵士たちの所持品を調べても血のついたものなどの証拠品はでてこなかった。

スコットランド・ヤード犯罪捜査部（CID）のドナルド・スワンソン警部は、マーサ・タブランが十二時前にいっしょにでていった兵士以外の人物とかかわったと考える理由はないが、「時間がたっている」ことから彼女がべつの客といっしょだった可能性も否定できない、と特別報告に述べている。何人かの客がいたとも考えられる。十一時四十五分にマーサといっしょにいた「兵卒」と、午前二時にバレット巡査が見かけた「兵卒」のなぞに、警察はこだわった。目撃された時刻と場所が犯行時間と現場に近いからだ。彼はマーサ殺害の犯人で、本物の兵士だったのかもしれない。

あるいは犯人が兵士に変装していたのだろうか？　もしそうなら、実に巧妙な手だ。バンク・ホリデイの夜には兵士がおおぜい街にくりだす。売春婦をさがし歩くのは彼らにとってごくふつうのことだった。切り裂きジャックが軍服を着てつけひげをつけて、はじめての犯行におよんだと考えるのは、現実味がないように思えるかもしれない。しかしロンドンのイースト・エンドでの殺人事件に軍服姿のなぞの男がかかわるのは、これが最後ではなかった。

ウォルター・シッカートは軍服のことをよく知っていた。第一次大戦時に戦闘場面の絵を描いているころ、フランス軍の軍服がとくに「気にいっている」と認めている。「今日はベルギー軍の軍服をだしてみた」と、彼は一九一四年に書いている。「小さな金のふさのついた砲兵の略帽は、実にいきだ」少年のころ、シッカートは軍服や甲冑《かっちゅう》をつけた男をたびたびスケッチしている。俳優のミスター・ニーモとしては、一八八〇年にシェイクスピアの『ヘンリー五世』で演じたフランス人兵士の役がもっとも好評だった。一八八七年から一八八九年のあいだに、シッカートは「兵隊にくっついているとこうなる」と題する作品を制作した。ミュージックホールの人気歌手エイダ・ランドバークが歌っているまわりをおおぜいの男たちがとりかこみ、流し目を送っている絵だ。

軍隊に関連したものへのシッカートの興味は、一生うすれることがなかった。彼は軍人のスケッチや絵のモデルに着せるためという名目で、傷病兵や瀕死《ひんし》の兵士の軍服を赤十字からもらいうけた。ある知り合いによると、一時期シッカートのアトリエには軍服やライフルが山積みされていたという。

彼は友人への手紙で、このようにたのんでいる。「亡くなったある男性の肖像画を描いている。大佐なんだが……入院しているベルギー人の軍服を借りてほしい。人の不幸を利用するのは気がひけるが」。これは本心ではなかった。シッカートは「きわめて利己的な生きかた」をしていることを、一度ならず認めている。「わたしは自分の仕事のため――というより自分のため、と人はいう――だけに生きている」と、自ら述べている。

切り裂きジャックが変装していた可能性があることが、なぜもっと強調されないのかふしぎだ。現実味のあるシナリオとして調査されていれば、犯行のあと彼が跡形もなく消えてしまう理由がわかったかもしれない。彼が変装していたと考えれば、被害者と最後にいっしょにいたと思われる男の人相が、目撃者によってさまざまであることにも説明がつく。凶悪犯が変装するのはめずらしいことではない。警官、兵士、整備員、配達人、修理人、救急救命士、道化師などを装った男たちが、セックス殺人を含む凶悪な連続犯罪をおかしている。変装するのは、抵抗されたり疑いをもたれたりせずに被害者に近づいて、相手を誘いだすための簡単で効果的な方法だ。それを使えば窃盗《せっとう》やレイプ、殺人などをおかしても逃げられる。また犯行現場へもどって捜査の状況を見たり、被害者の葬式にいったりすることもできる。

人を殺そうと心にきめているサイコパスは、あらゆる方法で被害者をだまして、その命をうばおうとする。殺す前に信用させるのが手だ。そのためには演技する必要がある。舞台にのぼったことがあるかどうかは関係ない。生死にかかわらず、えじきになった被害者を見ると、そのような所業におよんだ犯罪者を人間と呼んでよいものか疑問に思えてくる。切り裂きジャックを理解するには、まずサイコパスがどういうものかを理解する必要がある。理解することと受けいれることは必ずしも同じではない。彼らがやることは、ふつうの人間が抱くような空想や感情とはかけはなれている。どんな人間でも悪事をはたらく可能性はあるが、サイコパスが犯罪をおかすときにはほかの人とはちがっている。

精神医学では、サイコパシーは反社会性行動障害と定義される。女性より男性に多く、この障害をもつ父親の息子には、通常の五倍の確率でこれがあらわれるという。『精神障害の診断と統計マニュアル』によると、サイコパシーの症状には、盗む、うそをつく、物質を乱用する、金銭に関する責任感がない、退屈することに耐えられない、残酷、家出する、不特定多数を相手にセックスする、けんかする、悔恨《かいこん》の情にとぼしいなどがある。

ふつうの人間がそれぞれちがうように、サイコパスもみな異なっている。多数の相手とセックスし、よくうそをつくが、金銭面ではきちんとしている。けんか早くて手当たりしだいにセックスするが、盗みははたらかない。動物をいじめるがアルコールやドラッグは乱用しない。人間を苦しめるが動物には手をださない。複数の人を殺すが、不特定多数を相手にセックスはしないなど、反社会的な行動のくみあわせは無数にある。だがサイコパスに共通するもっとも大きな特徴は、自責の念を感じないことだ。彼らは罪悪感をもたない。良心がないのだ。

一九九七年の冬、ジョン・ロイスターという連続殺人犯の殺人にかかわる裁判をニューヨークで傍聴した。ロイスターについては何ヵ月も前から話にきいたり、読んだりしていたが、本人を見たのはそれがはじめてだった。彼がおだやかで礼儀正しい人間に見えることに驚いた。手錠をはずされ、被告側弁護人の席にすわろうとしているロイスターは、感じのよい風貌で服装もきちんとしており、体つきはきゃしゃで、歯列矯正器《きょうせい》をつけている。わたしは衝撃をおぼえた。もしセントラル・パークでロイスターと出会い、彼が銀色に光る歯をみせて、ジョギングしているわたしにほほえみかけたとしても、警戒心などまったくおきないだろう。

一九九六年の六月四日から十一日のあいだに、ロイスターは四人の女性の命をうばった。背後からおそいかかって地面におしたおし、絶命するまで舗道やコンクリート、敷石に頭をたたきつけたのだ。彼はあくまでも冷静で用心深く、相手をおそう前にナップザックをおろし、コートをぬいでいた。殺害後、状況が許せば、無残に顔をつぶされ血みどろで横たわっている被害者をレイプした。それから落ち着いて所持品をもって、現場をあとにした。女性の顔をぐちゃぐちゃに破壊することが彼に性的興奮をもたらしたのだ。後悔はしていない、とロイスターは取調べのさいに認めている。

一八八〇年代の末には、こうした反社会性行動障害——生ぬるい呼びかただが——は「道徳狂」と診断されていた。皮肉なことに、最近ある裁判で被告を擁護するのにこの概念が使われている。一八九三年に著した犯罪学についての著作のなかで、アーサー・マクドナルドは今日でいうサイコパスを、「純粋殺人者」と定義している。マクドナルドによると、彼らは「生来」盗人ではなく、「正直」であり、多くは「慎み深い性格」のもちぬしだ。しかし彼らは自らの凶暴な行為に「嫌悪」を「感じることがない」。純粋な殺人者は、たいてい子供のころから「残忍な性向の片鱗」を見せはじめる。

サイコパスには男もいれば女もいる。大人だけでなく子供もいる。必ずしも暴力的とはかぎらないが、危険な存在であることには変わりない。ルールを守らず、自分以外の人間の生命を尊重しないからだ。サイコパスはX因子をもっていると思われる。これは大多数の人には理解不能ではないが、なじみのないものだ。このX因子が遺伝的なものか病理学的なもの（たとえば頭のけがなど）、あるいはふつうの人間の理解の範囲をこえるような精神の堕落によって生じるものか、現時点でははっきりしない。現在おこなわれている犯罪者の脳の研究は、サイコパスの脳みそが必ずしも正常ではないことを示唆《しさ》しはじめている。収監《しゅうかん》されている一般の殺人犯の八〇パーセントは子供のころ虐待された経験があり、五〇パーセントは前頭葉に異常があることがわかっている。

前頭葉はその名前が示すように脳の前部にあり、人間が道徳にかなった行動をとるようながす。腫瘍《しゅよう》や頭のけがなどの損傷により、礼儀正しかった人が攻撃的または暴力的な、自制のきかない人間にかわってしまうこともある。一九〇〇年代半ばには、はなはだしい反社会的行動に対する矯正法として、悪名高い前部前頭葉ロボトミーがおこなわれていた。これは外科手術、または眼窩《がんか》の上面にアイスピックを打ちこむことにより、脳の前部と他の部分をつなぐ神経経路を遮断する処置だ。

しかしサイコパスの脳機能の異常は、子供時代のトラウマや脳の損傷だけでは説明できない。脳の活動の様子を画像で示すＰＥＴスキャン（陽電子放射断層撮影）を使った研究によると、サイコパスの前頭葉の神経活動は、「正常」な人間にくらべて著しく低い。そのことはサイコパスの脳の前頭葉が、暴力をふるったり衝動のままに殺人をおかしたりすることを抑制する機能に乏しいことを示唆している。ふつうの人にためらいや悲しみ、不安を感じさせ、残酷な、あるいは凶暴な、そして不法な衝動をおさえる働きをするような思いや状況も、サイコパスの前頭葉には認識されない。サイコパスは盗む、レイプする、攻撃する、うそをつくなど、他人を貶《おとし》め、だまし、相手の人間性をうばうような行為をするのが悪いことだとは感じない。

犯罪者の二五パーセント、そして全人口の四パーセントがサイコパスだ。いまや世界保健機関（ＷＨＯ）は「非社会性人格障害」、つまり反社会性人格障害または社会病質を、疾病《しっぺい》として分類している。この「病」をもつ者はふつうの人間的な感情を示さない。多くの犯罪は、少数のサイコパスのしわざだ。彼らはきわめて狡猾《こうかつ》で、二重生活を送っている。ごく身近にいるものでさえ、彼らのチャーミングな仮面の下に怪物がひそんでいることに気づかない。切り裂きジャックの場合と同様、怪物は被害者をおそう直前までその本性をあらわさない。

サイコパスは愛情をもつことができない。彼らも悔恨、悲しみ、哀悼《あいとう》の意を示すように見えることもあるが、それらの感情は人をあやつるためのもので、他人への純粋な思いやりからではなく、彼ら自身の必要から生じている。サイコパスの多くは魅力的でカリスマ性があり、平均以上の知能をもつ。衝動のままに行動するが、犯行は緻《ち》密《みっ》に計画して実行する。矯正法はない。彼らを更生させたり、指紋法の創始者フランシス・ゴルトンが一八八三年に書いているように、「犯罪行為から遠ざけておく」ことは不可能だ。

サイコパスは被害者と接触する前に、相手をストーキングすることが多い。そうしながら暴力的な空想にふけるのだ。実際に犯行におよぶ前に何度か予行演習をして、手口を練習することもある。彼らは確実に犯行をやりとげ、逃げおおせられるよう、慎重に計画をたてる。「初演」までに何年もリハーサルすることもあるが、どんなにけいこを重ね、戦略をねっても、完璧な公演が保証されるわけではない。手違いはおこる。とくに初日の夜には。最初の殺人をおかしたとき、切り裂きジャックも初歩的なミスをおかした。

4　なぞの人物

マーサ・タブランにつれられてジョージ・ヤード・ビルディングス三十七番地の一階の暗い踊り場へいったとき、犯人は主導権をマーサにわたす形になり、計画に手違いがおこる危険が生じた。

彼はマーサのなわばりを犯行現場にする予定ではなかったのかもしれない。またほかにも彼の予想していなかったことがおこった可能性もある。たとえば彼女に侮辱《ぶじょく》されたりからかわれたりしたとか。売春婦、とくに酔っぱらった古つわものは細やかな心づかいなどとは無縁だ。マーサが彼の股間をさぐって「どこにあるのさ？」とでも言えば、それだけで彼は逆上しただろう。シッカートの手紙には「不能の怒り」という表現が見られる。事件から一世紀以上たったいま、悪臭のただようまっ暗な踊り場でおこったことを正確に再現するのは不可能だ。

しかしともかく犯人がかっとなっ

て、自制心をなくしたことはたしかだ。

相手を三十九回も刺すのは過剰殺傷だ。逆上したあげくの過剰殺傷は、予期していないできごとや言葉が犯人を怒らせたためにおこる場合が多い。とはいえ、マーサを殺した人物がまえもって殺人を計画し、実行するつもりでいたことには変わりない。殺す相手はマーサ・タブランでも、その夜か翌朝にたまたまとおりかかったほかのだれかでもよかった。マーサにつれられてその踊り場へいったとき、犯人は彼女を刺し殺そうと思っていた。頑丈な鋭いナイフか短剣を持参しており、犯行後はそれをもって逃げた。兵士に変装していたのかもしれない。彼は何らかの方法で気づかれずに現場へきて、立ち去った。ボタン、帽子、えんぴつなどの証拠はいっさい残さなかった。殺害方法のなかでももっとも個人的なのは、刺殺と絞殺だ。どちらも加害者が被害者と身体的接触をもつ必要がある。それにくらべると射殺は個人的な色あいがうすい。撲殺《ぼくさつ》、とくに背後から頭をなぐるのも同じだ。

相手を何十回も刺すのはきわめて個人的だ。そのような刺殺体がモルグに運びこまれたときは、警察も検屍官も被害者は犯人の知りあいだと考えるのがふつうだ。マーサは犯人と知りあいではなかったろうが、犯人のシナリオになかった行動をとったか何らかの言葉を口にしたため、非常に個人的な反応を彼からひきだすことになった。マーサはかんしゃくもちで、酔うと気むずかしくなることで知られていたが、事件の前にパーリー・ポルといっしょにラムとエールをのんでいた。事件後、マーサが殺害された早朝には「何も」きこえなかった、とジョージ・ヤード・ビルディングの住人たちは証言している。だがスラムの人々が疲れて酔っぱらっては乱闘や激しい夫婦げんかをしていたことを考えると、その証言はあまり信用できない。巻きこまれないようにしよう、警察とかかわるとろくなことはないから、というのが彼らの本音だった。

バレット巡査がジョージ・ヤード・ビルディングのそばにいる兵士を見かけてから一時間半後の午前三時半、ビルディングの居住者のアルフレッド・クローが仕事から帰ってきた。彼は辻馬車の御者《ぎょしゃ》をしていた。バンク・ホリデイにはいつも客が多く、遅くまで帰れなかった。きっと疲れきっていただろう。最後の客をおろしてから、緊張をほぐすために二、三杯ひっかけたかもしれない。一階の踊り場をとおったとき、床のうえに「何か」あることに気づいたが、調べずに寝てしまったという。ひょっとするとそれが遺体だったかもしれない。ヴィクトリア朝の経済学者で社会主義者のビアトリス・ウェッブの言葉をかりると、隣人に「干渉」するなというのがイースト・エンドのおきてだった。酔っぱらいが正体なく寝こんでいるのは、イースト・エンドではめずらしくなかったから、とクローは後に審問で説明している。きっとたびたびそうした光景を目にしていたのだろう。

踊り場にある「何か」が遺体であることにようやくだれかが気づいたのは、午前四時五十分になってからだ。ジョン・S・リーヴスという港湾労働者が建物からでていこうとしたとき、血だまりのなかに女性があおむけに倒れているのが目にとまった。だれかともみあったかのように着衣が乱れていたが、階段に足跡はついておらず、ナイフなどの凶器も見当たらなかった。リーヴスは遺体には手をふれず、すぐバレット巡査に知らせた。バレット巡査はT・R・キリーン医師を呼びにいかせた。医師が到着した時刻は不明だが、彼が遺体を調べたとき、あたりはまだうす暗かったと思われる。

遺体は死後三時間ほどたっているとキリーン医師は現場で推定した。被害者の身元がわかったのは何日もたってからだったが、医師は彼女が「三十六歳」で、「栄養状態がよい」、つまり太っていると述べている。これは重要な点だ。切り裂きジャックの被害者は、彼に殺されたのではないと警察が見なしている女性たちもふくめて、ほとんどみな極端にやせているか太っているかのどちらかだ。またわずかな例外をのぞいて、ほぼ全員が三十代後半から四十代前半だった。

ウォルター・シッカートは、絵のモデルには太りすぎかやせ衰えた女性を好んだ。社会階層は低いほど、容姿はみにくいほどよかった。彼がしばしば女性を「骸骨《がいこつ》のような」とか、「小さなウナギのように細い」などと形容していることや、おしりが大きく胸がぶざまにたれさがった女性を何度も描いていることからも、それはあきらかだ。「踊り子たち」はみんなにやろう、自分は「醜女《しこめ》」がいいのだ、とシッカートは書いている。

彼は姿の美しい女性には画家として興味をもたなかった。太りすぎかやせすぎでない女はつまらない、と何度も述べている。アメリカの友人、エセル・サンズとナン・ハドソンにあてた手紙では、新しく雇ったモデルたちを気にいっており、「こうした連中のとてつもない貧しさ」に「ぞくぞくする」、また彼女たちの「着古した汚い普段着」が大好きだと書いている。べつの手紙では、いま自分が二十歳だったとしても、「四十歳以下の女には目もくれないだろう」と告白している。

マーサ・タブランは太って背が低く、不器量な中年女性だった。殺されたとき身につけていたのはグリーンのスカートと茶色のペチコート、丈の長い黒い上着、黒いボンネット、それにブーツで、警察によると「どれも古いもの」だった。マーサはシッカートの趣味にぴったりだったろう。だが犯人がどんな被害者を選ぶかはたんに傾向にすぎず、絶対的なものではない。連続殺人の被害者は犯人にとって重要な何らかの共通点をもっていることが多いが、だからといって凶悪なサイコパスが必ずきまったタイプの人をねらうとはかぎらない。なぜ切り裂きジャックが、似たような容姿と身なりの他の売春婦ではなく、マーサ・タブランをおそったのかはわからない。チャンスがあったからという月並みな理由にすぎないのかもしれない。

どんな理由だったにせよ、逆上してマーサ・タブランを殺したことから、彼は貴重な教訓をえたはずだ。自制心を失って相手を三十九回も刺すと、あたりは血の海になるというのがそれだ。目撃者が語った現場の状況が正しければ、踊り場やほかの場所に血の足跡は残さなかったようだが、手や衣服、ブーツか靴に血がついて、逃走しにくくなっただろう。シッカートのような教養のある人間は、病気が毒気ではなく細菌によっておこることを知っていたはずだから、売春婦の血を大量にあびたことを不快に思ったにちがいない。

マーサ・タブランの死因は、複数の刺し傷による失血だったと思われる。イースト・エンドには適当な遺体安置所がなかったため、キリーン医師は近くの死体置場で検屍をおこなった。刃物による心臓へのひと突きが「死をもたらすのに十分」だったと彼は結論づけた。心臓への刺し傷は、たとえ動脈を傷つけたり切断していなくても、緊急に手術しないと命にかかわる。しかしナイフやアイスピックなどで心臓を刺されたあと、生きつづける例もなくはない。心臓の鼓動がとまるのは傷のせいではなく、流れだした血が心臓を包む心膜にたまるためだ。

医学的興味はべつとして、マーサの心膜に血液がたまっていたかどうかについての情報は、ほかの刺し傷から出血しながら、彼女がどれくらい生きていたかを知る手がかりにもなる。どんな小さな情報も死者の声をきく助けになるが、キリーン医師の報告はあまりにも簡単で、凶器の刃物が両刃か片刃かもわからない。血しぶきの軌跡の角度もあきらかにされていない。それがわかれば、刺したとき犯人がマーサに対してどんな位置にいたかがはっきりする。マーサは立っていたのか、それとも横たわっていたのか？　大きな、あるいは不規則な形の傷はあったか？　もしあれば、刺されたとき被害者がまだ動いていたため、凶器を傷からひきぬくときに刃がねじれたと考えられる。凶器には鍔《つば》（「柄《つか》」と混同されることが多いが、柄は刀剣の柄《え》の部分をさす）はついていたのか？　刃物の鍔は、皮膚に打ち身やすり傷を残す。

被害者がどんなふうに殺害されたかを再現し、使われた凶器の種類を特定すれば、犯人像がうかびあがってくる。ちょっとしたことが犯人の意図、感情、活動、妄想、そして関心事や職業を示唆《しさ》する。犯人の身長も推定できる。マーサは百六十センチだった。もし犯人のほうが背が高く、彼女を刺しはじめたときふたりが立っていたのなら、最初の刺し傷は体の上のほうについていて、角度は下向きのはずだ。ふたりとも立っていたなら、犯人が極端に背が低くないかぎり、腹部や陰部を刺すのはむずかしい。そうした部分の傷は、おそらく彼女が横たわっていたときにつけられたものだろう。

キリーン医師の推測によると、犯人は非常に力が強いという。アドレナリンと怒りは大きなエネルギー源で、途方もない力を生む。だが犯人にはさほど超人的な力は必要なかった。鋭い頑丈な凶器を使えば、皮膚と臓器、そして骨さえも容易に突きとおすことができる。キリーン医師は、胸骨を貫通している傷は「ナイフ」でつけたものではありえないという誤った推測をして、そこから性急につぎの結論を導きだした。すなわち犯行にはふたつの凶器、おそらく「短剣」と「ナイフ」が使われたというのだ。それにより犯人は両手利きかもしれないという説が早くから浮上することになる。

たとえ彼が両手利きだったとしても、暗闇のなかで男が片手に短剣、もういっぽうの手にナイフをにぎってマーサを刺している図は珍妙だし、ばかげている。そんなことをしたら自分自身をも刺しかねない。医学的証拠も両手利きによる犯行という説を支持しない。被害者と向きあっている場合、右利きは相手の体の左側に傷をおわせやすい。マーサの左肺には刺し傷が五つあり、体の左側にある心臓も一ヵ所刺されている。

胸骨を貫通する傷にも、キリーン医師が指摘したような重大な意味はない。鋭利なナイフは頭蓋骨もふくめて、どんな骨でも突きとおす。切り裂きジャックが殺人をはじめる何十年も前にドイツでおこった事件では、男が妻の胸骨を突き刺して殺害した。男がのちに法廷の尋問官に語ったところでは、凶器の「テーブルナイフ」は、まるで「バター」でも切るようにやすやすと骨を突きとおしたという。傷のふちは、テーブルナイフが一気に骨を貫通して、右肺と心膜と大動脈をつらぬいたことを示していた。

マーサ・タブランの刺し傷の大きさがことなることも、殺害にはふたつの凶器が使われたというキリーン医師の説を支持した。しかし傷の大きさのちがいは、刃のはばが先端より鍔のところで広くなっていることで説明できる。刺し傷は深さ、刃をねじったかどうか、刺さったところの弾力性などによって、大きさがちがってくる。キリーン医師のいうナイフや短剣がどんなものをさしているのかはわからないが、ふつうナイフといえば片刃の刃物のことだ。いっぽう短剣は両刃で細く、とがった切っ先をもつ。リボルバーとピストルのように、ナイフと短剣は同義語として用いられることが多い。

切り裂きジャック事件のリサーチをしているとき、彼が手にいれた可能性のある刃物について調べた。その種類は無数といえるほど多く、しかもどれもたやすく入手できることがわかり、途方にくれた。アジアを旅したイギリス人は、突き刺したり切ったりするためのありとあらゆる刃物をみやげとしてもち帰ったようだ。インドのペシュカブズは、刺す深さによって傷の大きさがちがう刃物のよい例だ。これは「短剣」と呼ばれていたが、その頑丈な鋼鉄の刃によってできる傷はさまざまなので、いま使われたとしても検屍官をとまどわせるだろう。

湾曲した刃は象牙の柄のところでは約四センチの幅がある。そこから先端へむかって三分の二までは両刃で、そこをすぎるとしだいに細くなっていき、切っ先は針のようにとがっている。わたしが骨董屋《こっとうや》で手にいれたのは一八三〇年につくられたもので、鞘《さや》つきでもウエストバンドやブーツ、コートの深いポケットやそでのなかに楽にはいる大きさだった。ジャンビアと呼ばれる東洋の短剣（一八四〇年ごろのもの）の湾曲した刃も、大きさのことなる傷をつける。ただしこの刃は鍔から先端まですべて両刃だ。

ヴィクトリア朝の人々は人を殺すことを目的につくられた種々の美しい刃物を好み、外国旅行のさいに無造作に買い集め、市場で安く手にいれた。わずか一日のあいだに、ロンドンの骨董市とサセックスのふたりの骨董屋の自宅で、つぎにあげるような多種多様なヴィクトリア朝の武器を見つけた。短剣、クックリ刀（注：ネパールのグルカ族が使う広刃の剣）、磨いた木の枝のように見える仕込み杖、杖のように見せかけた短剣、男性のベストのポケットや女性のハンドバッグにおさまる小さな六連発リボルバー、西洋カミソリ、ボーイ刀（注：鞘つきの猟刀）、剣、ライフル、美しく装飾されたこん棒、先端に鉛を仕込んだ護身用の杖。切り裂きジャックが武器をさがしたとしたら、目移りするほどたくさんの種類から選ぶことができたはずだ。

マーサ・タブラン殺害事件では凶器は発見されていない。切り裂きジャックの犯行に関連した多くの記録と同様、キリーン医師の検屍報告書も失われている。手がかりになるのは審問のおおざっぱな記録だけだ。マーサの命をうばった凶器を特定することはむろんできないが、推測することは可能だ。犯人が逆上して被害者をおそったことや刺し傷の様子から考えると、使われたのはたぶんヴィクトリア朝の人々が短剣と呼んでいたものだろう。丈夫な刃と鋭い切っ先をもつ刃物だ。相手を刺すときに手をすべらせて自分を傷つけるのをふせぐため、しっかりした柄がついている。

マーサの手や腕に切り傷やあざなどの防御創《ぼうぎょそう》がなかったというのが事実だとすれば、たとえ着衣が「乱れていた」としても、あまり抵抗しなかったと思われる。衣服がどのように「乱れていた」かについてのくわしい記述がないので、マーサが服をぬぎかけたときにおそわれたのか、犯人が彼女の服を乱したりボタンやホックをはずしたり、切ったり裂いたりしたのか、またそれをしたのは彼女が生きているあいだか死んでからかはわからない。その時代には衣服はもっぱら被害者の身元を特定するために重要で、破れたり切れたりしていないか、精液などの証拠が付着していないかといった点はあまり調べられなかった。被害者の身元がわかると、衣服はたいてい死体置場から外へ投げ捨てられた。切り裂きジャックの被害者の数がふえるにつれ、被害者の衣服を集めて貧民へ与えようといいだす人たちもいた。

一八八八年には、血液の性質についてはほとんど知られていなかった。血液には独特の性質があり、物理学の法則にきちんとしたがって反応する。ほかの液体とはまったくちがっており、高圧で押しだされて生体の動脈のなかをめぐっているときに動脈が切断されると、したたったり、ゆっくり流れだしたりはしない。マーサの殺害現場の階段吹き抜けで、壁の高い位置に動脈血がとびちったあとがあれば、首への刺し傷が動脈を切断したことや、そのとき彼女が立っていてまだ血圧があったことがわかる。動脈血の血しぶきが描くパターンは、心臓の鼓動に応じて高くなったり低くなったりする。動脈が切断されたとき、被害者が横たわっていたかどうかもそれによってわかる。血痕のパターンは、攻撃がどのようにおこなわれたかを知る手がかりになる。もし主要な動脈が切断されているのに動脈血がとびちっていなければ、おそらく被害者はほかの傷のためにすでに絶命していたのだろう。

マーサ・タブランの陰部に刺し傷や切り傷があったことは、犯行に性的な要素がからんでいたことを示唆している。だが切り裂きジャックのすべての犯行でいわれているように「接合」(ヴィクトリア朝の人々は性交のことをこう呼んでいた)のあとが見られないのが事実なら、それは重要なポイントとして考慮されるべきだ。しかし実際はあまり重視されなかったようだ。「接合」があったかどうかを、どのように調べたのかもよくわからない。被害者が売春婦の場合はそれを特定するのがむずかしい。

ひと晩に何度も「接合」しているかもしれず、彼女たちが多数の男との交情のあとを洗い流すことはまずなかったからだ。

当時は体液から血液型やＤＮＡを特定することはできなかった。犯罪捜査で人間と動物の血液を区別する試みも、あまりおこなわれなかった。事件の前に性行為があったことを示す証拠があったとしても、精液は法医学的には何の価値もなかった。しかし切り裂きジャックのすべての犯行に見られるように、精液や、性交を試みようとしたあとがまったくなければ、犯人は犯行の前にも後にも被害者と性行為をもたなかったと考えられる。こうしたケースは皆無とはいえないが、凶暴なサイコパスが犯人の場合はきわめてまれだ。彼らは殺しながらレイプし、被害者が絶命するとクライマックスに達する。遺体を見ながら自慰をすることもある。切り裂きジャックによる快楽殺人で精液の痕跡がないことは、シッカートが性的不能だったという推測と一致する。

現代の水準からすると、マーサ・タブラン殺害事件の捜査は、捜査とはいえないほどお粗末なものだった。警察もメディアもこの事件に関心を示さなかった。八月十日に最初の検視審問がおこなわれるまで、彼女が惨殺《ざんさつ》されたことは報道もされなかったし、その後の追跡記事もなかった。マーサ・タブランはだれにとってもとくに重要な人間ではなかった。わたしがモルグで働いているときによくみんなが言っていたように、彼女はその生きかたにふさわしい死にかたをしたと思われていた。

マーサの殺害は凄惨なものだったが、それがロンドンを侵略した邪悪な軍勢の最初の攻撃であるとはだれも考えなかった。マーサはくたびれた不潔な売春婦で、自ら選んだ生きかたによりその身を危険にさらした。彼女は違法な商売をいとなんでいたため、自分を殺した犯人と同じように警察の目をのがれる必要があったのだとメディアは指摘した。マーサのような女に同情するのはむずかしかった。当時もいまも、被害者が悪いと考えるのが世間の風潮だ。現代の法廷でもそうした言い分に憤りと失望を感じることがある。彼女があんなかっこうをしていなければ、彼が車で町のあの一角へいかなければ、彼女が男をさがすためにバーへいったりしなければ、公園のあのあたりではジョギングしないように注意したのに、子供をバス停からひとりで家まで帰らせるなんて、というぐあいだ。しかし友人の検屍局長、ドクター・マーセラ・フィエロが言うように、「たとえはだかで歩きまわろうと、レイプされたり殺されたりしない権利が女性にはある」。マーサ・タブランにも生きる権利があった。

「審問ではもっぱらイースト・エンドに住む、故人と同じ階層の人々が尋問されたが、手がかりはえられなかった」。ロンドン警視庁のスワンソン主任警部は報告書をこのようにしめくくっている。

5　美しい少年

ウォルター・リチャード・シッカートは一八六〇年五月三十一日にドイツのミュンヘンでうまれた。

イギリスのこの偉大な画家は、実はイギリス人ではなかった。「生粋《きっすい》のイギリス人」としばしば評されるウォルターの父親は、オズワルド・アダルバート・シッカートというデンマーク人の画家だ。美しい母親エリノア・ルイザ・モラヴィア・ヘンリーも純粋なイギリス人ではなく、アイルランド人の血がまじっていた。子供のころのウォルターは、あらゆる点でドイツ人だった。

シッカートの母親の愛称は「ネリー」だった。妹のヘレナも「ネリー」、最初の妻エレン・コブデンも「ネリー」、そしてエレン・テリーも「ネリー」と呼ばれていた。まぎらわしいので、本書ではシッカートの母親をさすとき以外はこの名前を使わないことにする。シッカートの人生にもっとも大きな影響を与えた四人の女性が同じ愛称をもつことから、エディプス・コンプレックスについての心理学のごたくをもちだしたくなるが、その誘惑も退けたいと思う。

ウォルターは六人きょうだい——男五人、女ひとり——の第一子としてうまれた。驚くべきことに、六人のうち子供をもうけたものはひとりもいない。どの子もどこか欠陥があったようだ。おそらく唯一の例外はオズワルド・ヴァレンタインだろう。彼はセールスマンとして成功したといわれているが、それ以外のことは何も知られていない。ロバートは世間からひきこもり、荷車にひかれたけがもとで死亡している。レナードは子供のころから現実から遊離したところがあり、長年にわたって薬物乱用と闘ったすえに死んだ。ベルンハルトは画家だったが大成せず、うつ病《びょう》とアルコール依存症に苦しんだ。父親のオズワルドが書いた詩は、彼らの悲劇を予言しているかのようだ。

自由のあるところでは、むろん
悪しきものも自由だ、しかしそれは消滅する、
なぜならそれは破壊の芽を内包しており
自滅するのが必然だから。

シッカート家のひとり娘ヘレナは明晰《めいせき》な頭脳と激しい気性のもちぬしだったが、身体が弱かったために一生苦労した。人道主義的な目的や他人に関心があったのは、一家のなかで彼女ひとりだったようだ。おさないころに苦しい思いをしたために、人を思いやる気持ちが育《はぐく》まれた、と自伝で述べている。彼女は厳格な寄宿学校へ送られた。そこでは粗末な食事を与えられ、病弱で不器用だったためほかの女の子たちにからかわれた。父親や男のきょうだいは、ヘレナが自分を不器量だと思うようにしむけた。彼女は男でないために劣っていると見なされたのだ。

ウォルターは画家としては三代目にあたる。祖父のヨハン・ユルゲン・シッカートは、デンマーク王クリスチャン八世の後援を受けるほどすぐれた画家だった。ウォルターの父親のオズワルドも才能のある画家、およびグラフィックアーティストだったが、名をなすことも生計をたてることもできなかった。古い写真に写っているオズワルドは、長いもじゃもじゃのひげに、怒りのこもった冷たい目をしている。シッカート家のほかの人たちと同じように、彼についての情報もできの悪い銀板写真のように消えてしまっている。記録をさがしたところ、オズワルドが書いたものと彼の絵のごく一部が、ウォルターの書簡とともにイズリントン公立図書館に保存されているのがわかった。オズワルドの筆跡をまず判読し、高地ドイツ語で書かれたものを低地ドイツ語にし、それをさらに英語に翻訳しなければならなかった。その作業に六ヵ月近くかかったが、手にはいったのはわずか六十枚ほどの文書の断片にすぎなかった。彼が書いたものの多くは字が読みにくく、判読不能だったからだ。

しかし判読できたものから推察すると、彼は非常に強固な意志をもつ複雑で才能豊かな人物で、詩や戯曲を書くほか作曲もした。文才があり、芝居がかった表現が得意だったので、よく結婚式やカーニバルなどの行事でスピーチをたのまれた。一八六四年の対デンマーク戦争のときは政治活動をおこない、各地の都市へ旅行し、ドイツ統一のために力をあわせるよう労働者をはげました。

日付不明のある演説で彼はこう述べている。「みなさんの助けが必要です。ひとりひとりに協力してもらわねばなりません……労働者と接する方々、有力な商人や工場主のみなさんにも言いたい。正直に働く人たちを思いやるのはあなたがたの責任です」。オズワルドは抑圧された人々をふるいたたせるすべを知っていた。彼は美しい曲をつくり、やさしさと愛にあふれた詩的な文章を書くいっぽう、残酷で冷徹なユーモアのセンスがうかがわれる漫画のような絵を描くこともできた。スケッチをしているとき以外は、あちこちをさまよっていたことが日記からうかがわれる。彼の放浪癖は長男に受けつがれることになる。

オズワルドはつねに動きまわっていた。いったいいつ仕事をしたのだろうとふしぎに思うほどだ。一日の大半を散歩についやすこともあれば、夜遅くまで汽車にのっていることもある。その行動を見ると、じっとしていることができず、つねに自分のやりたいことをやっていたことがわかる。日記は断片的で日付もないが、その記述からうかびあがってくるのは、自分のことだけに没頭した、気まぐれで落ち着きのない男の姿だ。

ある週の水曜日、オズワルド・シッカートは汽車でエヒケンフェルデからシュレスヴィヒ、エッヘン、そしてドイツ北部のフレンスブルクへいっている。木曜には「線路沿いの新しい道路」を見にいき、「波止場にそってノルデトーア（北の門）」へむかって歩き、野原をよこぎって「用水路へいき、家へ帰った」そして昼食をとり、午後のいっときを「ノッケのビヤガーデン」ですごし、農場をたずねてから帰宅した。金曜日は「ひとりで」アレンスロブ、ノッベ、ヤンツ、ストロパティル、モーラーへいった。そこで何人かと会い、いっしょに食事をして、午後十時に家へ帰った。土曜日には「ひとりで町を散歩した」。

日曜日、彼は一日外出しており、夕食をとったあとは自宅で十時ごろまで楽器の演奏や歌を楽しんだ。月曜日はゴットルフまで歩き、それから「私有地と泥炭地をよこぎって帰り……」、火曜日は馬でミュグナーへいき、午後三時まで釣りをして「スズキを三十四」釣った。それからパブで知人たちと会い、いっしょに「食べたり飲んだり」して、「午後十一時に家へ帰った」。

オズワルドが書いたものを読むと、彼が権力、とくに警察を嫌悪していたことがわかる。怒りのこもったあざけるようなことばは、警察をあざ笑う切り裂きジャックの手紙を予告しているかのようで不気味だ。「できるものならつかまえてごらん」と、切り裂きジャックはくりかえし書いている。

「――万歳！　夜警が寝ている！」と、ウォルター・シッカートの父親は書いた。「そのていたらくを見たら、やつが夜警とは信じられないだろう。人道愛を発揮してゆりおこしてやり、鐘がなったぞ（あるいは面倒なことになるぞ）と教えてやろうか……いや、このまま眠らせておこう。わたしをつかまえた夢をみているのかもしれない。その幻想を抱かせておいてやろう」

オズワルドは権力に対する思いを家庭でも話し、ウォルターもそれをきいたにちがいない。またオズワルドがひんぱんにビヤガーデンやパブに出かけて「のんだくれ」ていたことを、ウォルターも母親も知らなかったはずはない。

「金はすっかりのんでしまった」と、オズワルドは書いている。「自分の腹におごってやったのだ。わたしはひまなときに寝る。そういう時間はたっぷりあるからな」

彼がなぜ異常なほど歩きまわり、たびたび旅行し、パブやビヤガーデンに足しげくかよっていたのかはわからないが、そうするには金が必要だったはずだ。しかしオズワルドにはかせぎはなかった。妻の財産がなければ一家は生活できなかっただろう。オズワルドが一八六〇年前半に書いたと思われる人形劇『パンチとジュディ』の台本で、サディスティックな夫パンチが一家のお金を酒に使ってしまい、妻やおさない息子をまったくかえりみないのは、偶然とは思えない。

パンチが舞台に登場する。

……ええと、みんなおれを知らないんだったな……おれの名前はパンチ。おやじも、じいさんも同じ名前だ。

……おれは上等な服が好きだ。ところでおれは結婚している。女房とガキがいる。でもそんなことは関係ない……

妻（ジュディ）　ああ、もうがまんできない！　あのとんでもない男は、朝っぱらからブランデーをのんでいる！

……ああ、わたしはなんて不幸な女だろう。あいつはかせぎをみんなお酒につかってしまう。子供たちに食べさせるパンもない……

ウォルターがお金にむとんちゃくで落ち着きがないのが父親ゆずりだとしたら、魅力的で顔だちがよいのは母親の遺伝だろう。だが彼は母親の好ましからぬ性質もいくつか受けついでいたようだ。ミセス・シッカートの風変わりな生い立ちは、チャールズ・ディケンズの『荒涼館』のストーリーに驚くほどにている。ウォルターのお気に入りだったこの小説では、エスターというみなしごの少女が、理由もわからないまま親切でお金持ちの紳士ミスター・ジャーンディスのやしきへ送られる。ミスター・ジャーンディスはのちにエスターと結婚したいと言いだす。

ネリーは一八三〇年に、アイルランド人の美しいダンサーの私生児としてうまれた。母親は子育てにはまったく関心を示さず、ネリーをほったらかしにして大酒をのみ、あげくにネリーが十二歳のとき結婚するためにオーストラリアへいってしまった。このとき、ある裕福な独身男性が名前をあかさずにネリーの後見人になり、フランス北部のイギリス海峡に面した町ヌーヴィル・レ・ディエップにある寄宿学校に彼女を送った。その後六年間、彼は愛情のこもった手紙をネリーに送りつづけた。手紙には「R」というなぞめいたサインがしてあった。

ネリーが十八歳になってようやく後見人に会ったとき、彼は自分がリチャード・シープシャンクスという名前であることをあかした。元司祭で、天文学者として高い評価を受けていたシープシャンクスは、若い女性があこがれるようなウィットに富むさっそうとした男性だった。ネリーのほうも聡明で美しかった。シープシャンクスはネリーを甘やかした。ネリーも彼を慕ったが、シープシャンクスはそれ以上に彼女を熱愛した。ネリーを有力な人々にひきあわせ、淑女にふさわしい環境においてやった。ネリーはパーティーや芝居やオペラへいき、外国を旅行するようになった。そして数カ国語を学び、教養ある女性に成長した。彼女を溺愛する、おとぎ話の登場人物のような保護者は、その過程を注意深く見守っていたが、あるときついに自分が実の父親であることを告白した。

シープシャンクスは自分からの手紙をすべて処分するようネリーに命じたので、父親としての彼の愛情に恋情がまじっていたのかどうかはわからない。ネリーは彼の気持ちを知りながらそれを無視することにしたのか、あるいはうぶでそれに気づかなかったのかもしれない。いずれにしても、オズワルド・シッカートという画学生と恋をして結婚の約束をした、とパリでネリーからうれしそうに告げられたとき、シープシャンクスは大きな衝撃を受けたにちがいない。

彼はそれをきいて怒りを爆発させた。そして恩知らずで不誠実だと激しく彼女をなじり、婚約を破棄するようにせまった。ネリーが拒否すると、いっさいの援助を絶ってイギリスへ帰ってしまった。その後恨みがましい手紙を何通かよこしたあと、彼は脳卒中で急死した。ネリーはその死から立ち直ることができず、自分を責めつづけた。父親の手紙はすべて処分したが、一通だけ彼の古い腕時計のなかに隠してとっていおいた。それには「愛してくれ、ネリー。わたしがおまえを愛するように、心から」と、書かれている。

リチャード・シープシャンクスはネリーに遺産を残さなかったが、幸いなことに彼の心やさしい妹のアン・シープシャンクスがネリーを援助してくれた。彼女からの多額の仕送りによって、ネリーは夫と六人の子供を養うことができた。さびしい子供時代を送り、その後父親に裏切られ見捨てられたことは、ネリーの心に傷を残しているにちがいない。ダンスホールの踊り子だった無責任な母親と、若いころの彼女にとってロマンチックな秘密でしかなかった父親の、近親相姦的な愛についてネリーがどう思っていたかを示す記録はない。だが彼女が根深い悲しみと怒りと恥ずかしさを感じていたことは容易に想像できる。

もしヘレナ・シッカートが婦人参政権論者として名を知られる活動家になって自伝を書かなければ、シッカート一家やおさないころのウォルターのことは何もわからなかっただろう。ウォルターの子供時代についての情報はほとんどすべて、ヘレナの自伝をよりどころにしている。もし家族のほかのだれかが記録を残していたとしても、もはや存在しないかどこか人の目にふれないところにしまわれているのだろう。

ヘレナの自伝に描かれたネリーは、理知的で複雑な女性だ。魅力的で楽しく、自立しているときもあれば、きびしく、感情を見せないときもある。人を操るのにたけているいっぽうで、従順でもある。
ネリーが築いた家庭は気まぐれだった。厳格できゅうくつかと思うと、突然ゲームや歌がはじまる。夜、ネリーが歌ってオズワルドがピアノで伴奏することもあった。ネリーは針仕事をしたり、子供たちを森で遊ばせたり泳ぎにつれていったりするときにも歌った。そして子供たちに「ヤドリギの枝」や「彼女はバラの花輪をかぶっていた」などの、こっけいな楽しい歌を教えた。彼らの大好きな歌のひとつはつぎのようなものだった。

ぼくはとびはねジャック、下から二番目の子
自分の親指のうえで遊べるよ……

ウォルターは水泳が得意で、頭のなかは絵と音楽のことでいっぱいという子供だった。青い目と金髪の長い巻き毛のウォルターに、母親は「小公子のようなベルベットの服」を着せていた、と一家の友人は語っている。ウォルターより四歳年下のヘレナは、母親が兄の「美しさ」と「お行儀のよさ」をいつもほめていたことをおぼえているという。だが彼のお行儀についてのヘレナの見解は、母親とはちがっていた。ウォルターは見た目はかわいらしかったが、やさしさや思いやりに欠けていた。人好きの

する元気のよい、けんか好きな少年で、気にいった相手とはすぐ仲よくなった。だがそのともだちにあきたり、相手が自分の役にたたなくなったと感じると、そっけなくした。母親はほったらかしにされたウォルターの遊びともだちをなぐさめ、息子が突然どこかへいってしまったことへの、苦しい言い訳をしなければならなかった。冷淡で自分にしか関心がないというウォルターの性癖は、小さいころからあきらかだった。母親は自分と息子との関係が彼の性格をゆがめる一因となっているかもしれないとは、思ってもみなかったのだろう。ネリーは天使のように愛らしい顔をした息子を溺愛していたが、その愛情は必ずしも健全なものではなかった。息子は彼女の自我の延長にすぎず、息子への愛情は彼女自身の根深い、そして満たされることのない欲求の投影だったのかもしれない。ネリーは自分の知っている唯一のやりかたで彼に接したのだろう。すなわち自分の母親がしたように息子との精神的なつながりを断ち、父親が彼女に抱いたような利己的で不健全な執着を息子に対してもった。ウォルターがよちよち歩きのころ、フューズリという画家が、その「美しい」少年の肖像画をぜひ描かせてほしいと申しでた。ネリーは九十二歳で亡くなるまで、等身大のその絵を居間に飾っていた。

オズワルド・シッカートは一家の主のようにふるまっていたが、それは見せかけにすぎなかった。ウォルターもそのことを知っていたにちがいない。子供たちが何度となく目にする儀式があった。「ママ」がお金をくださいと父親にせがむと、彼は札入れに手をいれて、「金遣いのあらい女だな、いったいいくらいるんだ?」ときく。「十五シリングでいいんですけど」彼女は生活に必要なものをいろいろあげて言う。するとオズワルドはおうように金を手わたす。だがそもそもその金は彼女のものだった。毎年の仕送りをすべて夫にわたしていたのだ。オズワルドが筋書きどおりに寛大なところを見せると、妻は彼にキスし、おおげさに喜んでみせる。ふたりのお芝居には、ネリーと絶大な力をもつ支配的な父親、リチャード・シープシャンクスとの関係が反映されているかのようだった。ウォルターは両親が演じるドラマをすっかりおぼえこんだ。彼は父親の悪しき習性を受けつぎ、自分の誇大妄想とあらゆる欲求を受けいれてくれる女性を生涯にわたって求めることになる。

オズワルド・シッカートはドイツのユーモア雑誌、「フリーゲンデ・ブレッター」の専属さし絵画家だったが、家庭での彼はユーモアのへんりんすら見せなかった。子供にはきびしく、どの子もあまりかわいがらなかった。ヘレナによれば、父親はウォルターとしか話をしなかったという。ウォルターは父が話したことは「すべて」おぼえている、とのちに語っている。ウォルターはあらゆることをたちどころに理解し、正確に記憶した。ドイツですごした子供時代に、彼は独学で読み書きをおぼえた。ウォルターの写真のように精確な記憶力は、彼を知る人たちをつねに驚かせた。

ある逸話によると、子供のころウォルターが父といっしょに散歩しているとき、教会のそばをとおった。オズワルドはある墓碑銘を指さし、「あの名前はぜったいにおぼえられないだろう」と言って、歩きつづけた。ウォルターは足をとめてそれを読んだ。

MAHARAJA MEERZARAM
GUAHAHAPAJE RAZ
PAREA MANERAMAPAM
MUCHER
L. C. S. K.

ウォルター・シッカートは八十歳になってもまだそれをおぼえていて、まちがえずに書くことができたという。

オズワルドは子供たちが絵の道にすすむことをとくに奨励はしなかった。しかしウォルターは小さいころから絵を描いたり、ろうでいろいろなものの形をつくったりするのが好きだった。自分が知っている絵画の理論はすべて父に教わったものだ、とシッカートは述べている。一八七〇年代にオズワルドはよく彼をバーリントンハウスにある英国王立美術院へつれていき、「巨匠たち」の作品を勉強させた。保管されているシッカートの作品を調べると、オズワルドがウォルターにデッサンの指導もしたことがうかがえる。ロンドン北部にあるイズリントン公立図書館には、オズワルドの作とされるデッサンのコレクションがある。だが歴史家や美術専門家は、これらは実は彼の才能豊かな息子ウォルターの初期の作品であると考えている。オズワルドはウォルターの初期のころの絵を批評していたのかもしれない。

デッサンのほとんどは、未熟だが才能ある人間が練習のために街路や建物、人物像などをスケッチしたもののようだ。それらをうみだした人物は精神的に不安定で、暴力的、病的な傾向があったように思える。彼は生きたまま釜ゆでにされる男たちや、とがった細長い顔に不気味な笑みをうかべた、しっぽのある悪魔のような人物を好んで描いた。彼のお気に入りの主題は、兵士が城に攻めこんでいるところや、闘っているところだ。騎士が豊満な娘を誘拐し、助けを求める彼女を馬に乗せてつれ去ろうとしている絵もある。カレル・ドゥジャルダンが一六五二年に制作したエッチングについてのシッカートの説明は、あたかも彼自身の初期の作品の解説のようだ。彼によるとそのエッチングは、馬に乗った「ナイト」が歩をとめて、「はだかにされ」、「めったぎり」にされた「死体」をながめているところを描いたもので、「槍と三角旗をもった」軍勢が遠ざかっていくのが背景に見える。

デッサンのコレクションのなかでもっとも素人っぽく、暴力的な主題のものは、えりぐりの深いドレスを着た胸の豊かな女性が、椅子にすわっているところを描いた作品だ。女性は後ろ手にしばられて頭をのけぞらせ、右利きの男が彼女の胸のまんなかの胸骨のあたりにナイフを突き刺している。彼女は胸の左側と、首の左側の頸動脈《けいどうみゃく》のところにも傷を負っており、左目のしたにも傷があるように見える。殺人者はうす笑いをうかべているが顔ははっきりせず、スーツを着ている。このデッサンは長方形の紙に描かれているが、同じ紙の反対側には、おそろしげな顔つきの男がうずくまり、長いスカートとショールにボンネットをかぶった女性にとびかかろうとしている絵がある。

オズワルド・シッカートが暴力的なセックスを好んだことを示唆するものはないが、彼がときとして意地悪で冷酷だったことはわかっている。いちばんの標的は娘だった。ヘレナは父親をおそれるあまり、彼の前ではふるえていたという。オズワルドは娘がリューマチ熱で二年間寝ていたときも、ろくに同情を示さなかった。七歳になってようやく回復したとき、ヘレナはすっかり弱り、脚もおとろえていた。父親はいっしょに散歩することを強いたが、彼女はそれがいやでたまらなかった。散歩しているあいだ彼はひとこともしゃべらない。ヘレナにとっては父親のきびしい言葉より、その沈黙のほうがおそろしかった。

さっさと歩いていく父親におくれまいと、ヘレナがぎごちなく走ってうっかり彼にぶつかったりすると、「父はだまってわたしの肩をつかんで逆の方向へむかせます。そちらへいくと塀やどぶにぶつかってしまうのです」と、ヘレナは書いている。母親も彼女をかばってはくれなかった。ネリーにとっては不器量な赤毛の娘より、水兵服を着た金髪の「かわいいぼうやたち」のほうが好ましかったのだろう。

かわいいぼうやたちのなかでもとびぬけて美しく、「お利口」だったのはウォルターだ。彼は相手をうまくあやつるか、だますか、魅了することにより、何でも自分の思いどおりにした。つねにリーダーで、ほかの子はウォルターの「ゲーム」が不公平だと思っても、その命令にしたがった。チェスをしていても平気で自分の都合のいいようにルールを変える。たとえば王手をかけても何もかわらないことにするなどだ。一八六八年に一家がイギリスへ移ってからは、ウォルターはともだちやきょうだいを集めてシェイクスピア劇のいろいろな場面を演じさせるようになった。彼はときどき意地の悪い演出をした。ヘレナの自伝の未公表の草稿にはつぎのように書かれている。

小さいころだったと思いますが、（ウォルターが）マクベスの三人の魔女の場面を練習するからといって、わたしたちをニューキーの使われなくなった採掘場へつれていきました。わたしは無邪気にも、そこが本当に「アキロンの石切り場」と呼ばれているのだと思っていました。わたしたちはそこできびしいけいこをさせられました。わたしは（役にふさわしく、やせて赤毛だったので）服とくつとくつしたをぬがされ、魔女の大釜をのぞきこんだり、そのまわりを歩きまわったりさせられました。イバラやとがった石でけがをし、焼けた海藻からたちのぼる刺激の強いけむりが目にしみましたが、彼は容赦してくれませんでした。

ウォルターの人となりを示すこうした記述は、自伝が出版されたときにはよりおだやかな表現に変えられるか、削除されていた。ヴィクトリア・アンド・アルバート博物館の美術図書館に寄贈された、残存している六ページの手書き原稿がなければ、ウォルターの子供のころの性癖は知られないままになっていただろう。彼に関する出版物の多くが検閲され、修正されているのではないかと思う。

ヴィクトリア朝と一九〇〇年代初期には、家族についてつつみかくさず語ることはありえなかった。ヴィクトリア女王も、宮殿を火事にしてしまいかねないほど大量の私文書を燃やしている。一九三五年にヘレナが自伝を出版したときに兄のウォルターは七十五歳で、若手の画家からロワ、つまり王者としてあがめられるイギリスの偉人のひとりになっていた。彼の妹は自著で兄を傷つけるのはまずいと思ったのかもしれない。彼女はウォルターが思いどおりにすることができなかった数少ない人間のひとりで、ふたりは昔からあまり仲がよくなかった。

兄がどんな人間かヘレナがわかっていたかどうかもはっきりしない。彼は「……移り気であると同時に志操堅固でもあり……気まぐれなのに理屈っぽく……ふだんは友人や親戚をまったくかえりみませんが、いざというときはとても親切で寛大でたよりがいがあります。退屈することはまずありません――人間以外のものには」。

彼が扱いにくい人物であったことは研究者たちも認めている。シッカートは「才気煥発」だが「気まぐれ」だった。彼が三歳のとき、あの子は「強情でわがまま」だと母親が一家の友人に語っている。体は強健だが、「感じやすく」、すぐに「かんしゃく」をおこした。人を説得することにたけており、父親と同じように宗教を軽蔑していた。彼にとっては神も権威も存在しなかった。学校では活発で、勉強もよくできたが、規則は守らなかった。彼の伝記の著者、デニス・サットンはそれを「不品行」と称しているが、シッカートに関する著作ではそれについてふれていないか、ぼかしてある。

シッカートは十歳のとき、レディングにある寄宿学校を「出され」ている。のちに語ったところでは、その学校の「意地の悪い年とった女校長」がいやでたまらなかったという。その後、ユニバーシティカレッジ・スクールを放校になっているが、理由は不明だ。一八七〇年代はじめにはベイズウォーター・カリージェット・スクールに通い、それから二年間キングズカレッジ・スクールに在籍していた。一八七八年に大学入学資格試験を受け、最優秀の成績をとったが、大学へはいかなかった。シッカートは傲慢で思いやりがなく、人をあやつるのがうまかったが、これらはサイコパスによく見られる特徴だ。魅力的な外観のしたに怒りをたぎらせていたことは、さほど明白ではなかった。だがかんしゃくを爆発させたり、サディスティックな遊びをしたことにそれがうかがわれる。他人の気持ちに無関心で、同情心や自責の念が欠如しているという特性に怒りが加われば、ジキル博士をハイド氏に変身させるための処方箋ができあがる。どのような肉体的、精神的プロセスによってそれがおこるのかを、完全に解明することは不可能かもしれない。前頭葉の異常がサイコパスの原因なのか、それともサイコパスであるために前頭葉に異常がおこるのか？　そのメカニズムはまだわかっていない。

だがサイコパスの行動や、彼らが結果をおそれないことはわかっている。自分の暴力行為がどんな苦しみをうむか、彼らは気にもかけない。凶暴なサイコパスは、大統領を暗殺したことで国家が打撃を受けようと、自分のおかした大量殺人により、夫を失った妻や父を失った子供が嘆き悲しもうと、平然としている。サーハン・サーハンは、ロバート・ケネディと同じぐらい有名になったと刑務所で自慢していたという。

レーガン暗殺未遂により、ずんぐりしたもてない男ジョン・ヒンクリー・ジュニアは、すべての主要な雑誌にとりあげられ、表紙を飾ることになった。

サイコパスである犯罪者がはっきりおそれるのは、つかまることだけだ。レイプ犯は玄関のかぎをあける音がきこえたら犯行を中断するか、暴力をエスカレートさせて被害者と家へはいってきた人を両方殺してしまう。目撃者がいてはならないのだ。凶悪なサイコパスは、どんなに警察をあざけろうと、つかまることを思うと恐怖にかられ、それを避けるためならどんなことでもする。人間の生命をこれほど軽視する連中が、自分の命には必死でしがみつこうとするのは皮肉だ。彼らは死刑を宣告されたのちも、策をめぐらせるのをやめない。あくまでも生に執着し、薬物注射による死刑執行をかわしたり電気椅子をうまくのがれたりできる、と最後の最後まで信じている。

切り裂きジャックはとりわけゲームの達人だった。その犯行、メディアと警察への手がかりの提示やからかい、悪ふざけはすべて、彼にとって大いなる楽しみだった。彼をもっとも失望させたのは、敵対する相手が拙劣《せつれつ》なまぬけばかりだと早い段階に気づいたことだろう。切り裂きジャックはいわばひとりずもうをとっていた。互角に闘える相手がいないため、正体がわかるぎりぎりのところまで挑発し、誇示した。彼は警察とメディアに何百通という手紙をだしている。お気に入りのことばのひとつは「ばかども」で、これはオズワルド・シッカートがよく使ったことばでもある。切り裂きジャックの手紙には「は、は、は」という人をばかにしたような笑いがたびたび登場する。これはアメリカ人特有の笑いかたで、ジェイムズ・マクニール・ホイッスラーはよくそんなふうに笑った。シッカートはこの巨匠のもとで絵の勉強をしているとき、何度となく耳にしたはずだ。

一八八八年から今日までに何百万もの人々が、切り裂きジャックをミステリーや殺人と結びつけて考えてきた。だがこの悪名高い殺人鬼が人をあざけるのが大好きな傲慢で悪意にみちた皮肉屋で、世間のあらゆる人間を「ばか」か「まぬけ」と見なしていたことは、彼らも知らないだろう。切り裂きジャックは警察を憎み、「けがらわしい娼婦ども」を嫌悪していた。そして必死で彼をとらえようとしている人たちに、偏執狂的なしつこさで皮肉っぽい「おどけた」手紙を出しつづけた。

切り裂きジャックのあざけりにみちた手紙を読むと、人の命をうばうことを彼が何とも思っていないことがはっきりわかる。手紙は一八八八年にはじまり、知られているかぎりでは一八九六年に終わっている。わたしは公文書館とロンドン記録保管所に保存されている約二百五十通にのぼる手紙を、何回となく読んだ。読んでいるあいだに、強い怒りを抱いた意地の悪い狡猾《こうかつ》な子供が、才能豊かで聡明な大人を完全に支配している、いささかおそろしいイメージがうかびあがってきた。切り裂きジャックは人の命をふみにじり、当局を悩ませているときだけ自分に力があるように感じたのだ。百十四年以上のあいだ、彼はその行為のどれについても罪をとわれずにきた。
最初にそれらの手紙を読みはじめたとき、わたしも警察や多くの人がいまも信じているように、手紙の大半はにせものか、精神的に欠陥のあるものが書いたのだろうと思っていた。しかしシッカートが自分の考えをどのようにあらわしたかをくわしく調べ、同時に切り裂きジャックのものとされている手紙の表現を分析した結果、考えが変わった。手紙の大半は実際に彼が書いたといまでは思っている。切り裂きジャックの手紙に書かれた子供じみた憎々しげなからかいやあざけり、ののしりのことばにはつぎのようなものがある。

「は、は、は」
「できるものならつかまえてごらん」
「じつにゆかいな悪ふざけじゃないか」
「さんざんてこずらせてやる」
「愛をこめて、切り裂きジャックより」
「ちょっとした手がかりをやろう」
「おれは切り裂きジャックだと彼女に言って、帽子をとった」
「しっかりつかまってろよ、ずるがしこいおまわりども」

「ではまた。リッパーとドッジャー（注：ひらりと身をかわす男）より」

「愛すべきボスになつかしい思いをさせてやろうじゃないか」

「すこし考えてみたら、おれを思いだすかもしれないぜ、は、は」

「スコットランド・ヤードのみなさんのために、わたしの居場所を教えることに喜びを感じます」

「police、別名po（注：おまる）-lice（注：シラミ）は、賢いつもりでいるようだな」

「おまえたちはまぬけだ。とんまな偽善者だ」

「有能なおまわりを何人かよこしてもらえないかな」

「毎日おまわりがおれのそばをとおる。この手紙をだしにいくときもおまわりのそばをとおるだろう」

「は！　は！」

「おまえはへまをやったな。おれに見られなかったと思ってるのか……」

「またなつかしい昔がもどってきた」

「からかってやろうと思ったんだが、おまえたちをもてあそんでるひまがないんだ」

「さようなら、ボス」

「やつらをからかってやった」

「バイバイ」

「この仕事が大好きだってことを知らせてやろうと思ってね」

「利口ぶったやつらは、捜査はまちがってないと言っている」

「Ｐ．Ｓ．この手紙からおれを追跡しようとしてもむだだぜ」

「おまえたちスコットランド・ヤードの連中は、みんな眠りこけているようだな」

「おれは切り裂きジャック。できるものならつかまえてごらん」

「今度はパリへいって例の仕事をしようと思う」

「こないだの仕事はほんとに楽しかった」

「キスを」

「おれはまだ自由だぞ……は、は、は！」

「大笑いだ」

「いままでおとなしくしてやってただろう」

「敬具、マシマティカス《Mathematicus》（数理屋）」

「ボスどの……ゆうべ、あんたの部下のおまわり二、三人と話をしたぜ」

「警察はなんてまぬけなんだ」

「でもやつらはおれのいる通りをさがさなかった。おれはずっとおまわりを見ていたのに」

「きのう、おまわりのそばをとおったけど、こっちを見もしなかった」

「警察はおれの仕事を悪ふざけとみなしているようだな。ジャックはひどい悪さをするやつってわけだ。は、は、は」

「大いに楽しんでるよ」

「おれはたいへんな美男子だと思われているんだ」

「おれはまだうろついてるよ。は、は」

「おれをつかまえるのはたいへんだぞ」

「つかまえようとしても無駄だ。つかまりゃしないから」

「いままでも、この先もおれをつかまえられないよ。は、は」


弁護士だったわたしの父は、人が何に腹をたてるかによって、多くのことがわかるとよく言っていた。キューの公文書館に保管されている切り裂きジャックの手紙二百十一通を読むと、彼が自分の知性を自慢に思っていたことがわかる。無知で教養のない、あるいは頭のおかしい人物が書いたかのように見せかけたときでも、切り裂きジャックがそういう人間だといわれるのはおもしろくなかった。ときにはスペリングのまちがいがひとつもない、きちんとした美しい文字で書かれた完璧な言葉づかいの手紙を送って、自分が学のある人間であることを示さずにはいられなかった。手紙はしだいに警察やメディアに無視されるようになった。何通かの手紙で彼はこのように抗議している。「おれはきょうじんでないおまえらの手におえないほど頭いいんだ」とか、「おれが狂っていると思うのかとんでもないまちがいだ」というぐあいだ。

たしかに無学なロンドン子が conundrum（注：判じもの）という言葉を使い、手紙に Mathematicus とサインするとは思えない。無教養なろくでなしが自分の殺した人々を「被害者」と呼び、女性をめった切りにすることを「帝王切開」すると表現するのも不自然だ。切り裂きジャックは「おまんこ」のような下品なことばを使い、意識的に誤字や脱字、わかりにくい表現をいれた。そして自分がスラムの下層民であることを示すかのように――「おれは切手も買えない」――それらの下劣な手紙をホワイトチャペルで投函した。ホワイトチャペルの貧民で読み書きのできるものはほとんどいなかったし、住民の多くは外国人で、英語を話せなかった。つづりをまちがえる人はたいてい発音のとおりに表記するし、いつも同じようにまちがえる。ところが切り裂きジャックの手紙では、つづりのまちがえかたが一貫していない。

くりかえしでてくる「ゲーム」と、多用されている「は、は」は、アメリカ人のジェイムズ・マクニール・ホイッスラーのおはこだった。シッカートが「哄笑《こうしょう》」と呼んでいたその「は！　は！」という笑い声は悪名高く、イギリス人にとって耳ざわりな笑いとしていやがられていた。彼が「は、は」と笑いだすと、ディナーパーティーでの会話がとまってしまう。その笑い声はホイッスラーの存在を誇示するもので、彼の敵を凍りつかせるか部屋をでていかせるほどの威力があった。「は、は」と笑うのはイギリス人よりアメリカ人に圧倒的に多い。ホイッスラーといっしょにいるときや彼のアトリエで、シッカートは一日に何度となくこの不快な笑い声を耳にしたにちがいない。ヴィクトリア朝の人が書いた手紙を何百通読んでも「は、は」はでてこないのに、切り裂きジャックの手紙には数えきれないほどそれが見られる。

切り裂きジャックの手紙はいたずらかセンセーショナルな記事をねらった新聞記者のでっちあげ、または狂人のたわごとだとこれまで思われてきた。メディアや警察がそうした見解を示したからだ。捜査官や切り裂きジャックの犯罪の研究者たちは、手紙のことばより筆跡を重視してきた。しかし筆跡をごまかすのは簡単だ。才能ある画家にとってはなおさらだ。しかし複数の文書に示された独特のことばの使いかたやくせは、書いた人の心の指紋ともいうべきものだ。

ウォルター・シッカートは人を侮辱するとき、相手を「ばか」呼ばわりすることが多かった。切り裂きジャックもこのことばをよく使った。彼には自分以外の人間がすべてばかに見えたのだ。サイコパスは自分がほかの人よりずるがしこく、利口だと思いがちだ。自分を追うものを知恵で負かすことができると思っている。彼らは策を弄し、相手を悩ませ、からかうのが大好きだ。大騒ぎをひきおこし、なにくわぬ顔でそれを見物するのを楽しむ。策を弄し、あざけり、からかい、自分はほかのだれよりも利口で、人を殺しても逃げおおせられると考えたサイコパスは、ウォルター・シッカートだけではない。しかしこれほど独創的で創造性にとんだ殺人者はほかにいないだろう。

シッカートは驚異的に高いＩＱをもった博学な人間で、才能豊かな画家だった。その作品は尊敬されているが、必ずしも好まれてはいない。彼の絵には気まぐれなところやややわらかいタッチ、夢がない。シッカートは「美しいもの」を描こうとはしなかった。デッサンに関してはホイッスラーもふくめて、同時代のほとんどの画家よりすぐれていた。「mathematicus《数理屋》」シッカートは、技巧家だった。「自然界のすべての線は……四つの直角から三百六十度の範囲内にある放射線のどこかに位置する」と、彼は書いている。「あらゆる直線……および曲線は、これらの線のタンジェントと考えることができる」

シッカートは弟子たちに、「デッサンの基本は、高度に訓練された感性により、直角から百八十度の範囲内で……線の正確な方向をみきわめること」と教えた。より簡単に、「絵画とは、(画家が）形を表現しようとしたときに生じる……誤差の程度である」とも言っている。ホイッスラーやドガは、自分の絵をそんなふうには定義しなかった。おそらくふたりにはシッカートが何を言っているのか、見当もつかなかっただろう。

シッカートのきちょうめんで数理的な考えかたはその理論だけでなく、創作のしかたにもあらわれている。スケッチを四角く区切り、つりあいと比率を正確に保つようにそれぞれのますめを幾何学的に拡大するのが彼の画法だ。作品のなかには、絵を描くときに用いた碁盤目《ごばんめ》が、絵の具のしたにうすくすけて見えるものもある。切り裂きジャックの凶暴な犯行や挑発のうらにも、彼の人物像がかすかにすけて見える。

6　ウォルターとぼうやたち

シッカートは五歳になるまでに、瘻孔《ろうこう》のため三回にわたる過酷な手術を受けている。

これまでに読んだシッカートの伝記はどれも、これらの手術についてごく簡単にしかふれていない。わたしの知るかぎりでは、その瘻孔がどんなもので、なぜその治療のために生命にかかわる危険な手術が三回も必要だったかをあきらかにした人はいない。さらにいえば、いまのところシッカートの八十一年にわたる生涯をくわしく語った客観的、学問的な著作はひとつもない。

一九七六年に書かれたデニス・サットンによるシッカートの伝記は信頼すべきものだ。サットンは徹底的に調査し、「巨匠」を知る人たちから直接話をきいてそれを書きあげている。しかし手紙など版権で保護された資料を使うにはシッカート財団の許可をえる必要があるため、妥協せざるをえない面もあった。複雑で矛盾した性格をもつシッカートという人間の全体像をながめるためには、シッカートの作品をふくむさまざまな資料の複写や転載の法的規制という、けわしい山を越えなければならない。グラスゴー大学に保管されているサットンの調査メモには、シッカートが一九三〇年代に描いたと思われる「切り裂きジャック」の絵のことにふれているものがあるらしい。もしそのような絵が存在するとしたら、それについて書いたものを、ほかでは見たことがない。

シッカートの奇妙な行動について言及している記述はいくつかある。彼のことをくわしく調べた人なら、多少とも好奇心をそそられたはずだ。ブルームズベリーグループとかかわりのあった有名な画家、アンドレ・デュノイエ・ドゥ・セゴンザックが一九六八年の十一月十六日にパリからサットンへだした手紙には、一九三〇年ごろにウォルター・シッカートと知りあいだったと書かれている。手紙によると、彼はシッカートがホワイトチャペルの切り裂きジャックが住んでいた家に自分も住んでいたと話したのを、はっきりおぼえている。シッカートは「そのおそろしい殺人鬼の知られざる生活について熱心に」話したという。

美術史家でシッカートの研究者でもあるレディング大学のアナ・グリュッツナー・ロビンス博士は、シッカートを詳細に研究したものは、彼が切り裂きジャックではないかという疑念をもたずにはいられないはずだという。シッカートの作品に関する彼女の研究はあまりにも示唆に富んでいて、シッカートのファンには受けいれがたいところもあるだろう。シッカートの真実の姿はリッパーと同じようになぞにつつまれており、彼の卑劣な面をあきらかにするのは冒瀆《ぼうとく》と見なされる。

二〇〇二年のはじめ、マンチェスター市立美術館の館長、ハワード・スミスから連絡があり、シッカートが一九〇八年に「切り裂きジャックの寝室」と題する、陰うつな絵を描いているのを知っているかときかれた。その作品は一九八〇年に寄贈されたもので、当時の館長はこの驚くべき発見のことを、ウェンディ・バロン博士に知らせた。バロンはシッカートをテーマに博士論文を書いており、彼についての著作はだれよりも多い。館長のジュリアン・トリュハーツが一九八〇年九月二日にバロン博士にあてた手紙には、「このほどシッカートの油絵二点が当館に遺贈されました……」とある。そのひとつが「切り裂きジャックの寝室、油彩・カンバス、五〇×四〇センチ」であると彼は告げた。

バロン博士は十月十二日付けでトリュハーツ氏にあてた返信で、その絵に描かれた寝室はたしかにカムデン・タウンの住宅（モーニントン・クレッセント六番地）の寝室で、シッカートは一九〇六年にフランスからロンドンへもどったときに、その家の最上階とそのしたのフロアを借りていたと証言している。また一八八〇年代にこの家に「切り裂きジャックが住んでいたとシッカートは考えていた」ともいう。モーニントン・クレッセントのこの住居に切り裂きジャックがいたとシッカートが思っていたことを裏づける資料を見つけることはできなかったが、一八八八年に切り裂きジャックによる連続殺人が発生したころ、シッカートがそこに秘密の部屋を借りていた可能性はある。切り裂きジャックの手紙にも、下宿屋に引っ越すつもりだと書かれている。その下宿屋とはモーニントン・クレッセント六番地の家かもしれない。一九〇七年にシッカートがそこに住んでいたとき、わずか一キロ半ほどはなれたところで、また売春婦がのどをかき切られている。

シッカートが友人たちに語ったところでは、かつて住んでいた下宿屋の女主人は、切り裂きジャックが犯行当時そこに滞在していて、自分は彼が何者か知っていると話したという。切り裂きジャックは病身の獣医学生で、その後精神科病院へいれられた。女主人はその病弱な連続殺人犯の名前をシッカートに教え、彼はたまたまそのとき読んでいたカサノヴァの自伝にそれを書きとめた。ところがなんと、驚異的な記憶力のもちぬしのはずのシッカートはそれを思いだすことができず、カサノヴァの自伝も第二次大戦中に失われてしまった。

「切り裂きジャックの寝室」は結局だれにも注目されず、二十二年間しまわれていた。これはバロン博士が自著でとりあげていない、数すくない作品のひとつだ。わたしもその絵のことはきいたことがなかった。ロビンス博士やテイト・ギャラリーの関係者、そのほか調査中に会った人たちはだれもその存在を知らなかった。その絵を公表したくない人たちも一部にいるようだ。シッカートが切り裂きジャックだという説は「ばかげている」と、シッカートの甥《おい》のジョン・ルソールはいう。ルソールはシッカートと血のつながりはなく、シッカートの三番目の妻のテレーズ・ルソールと縁つづきだ。

本書を執筆しているあいだ、シッカート財団とはいっさい接触しなかった。財団を支配している人たちもふくめてだれも、ありのままの真実とわたしが信じている説を公表することを、思いとどまらせることはできなかった。わたしはホイッスラーやシッカートの最初と二番目の妻など、ウォルター・シッカートと同時代人で、シッカート財団に対する法律上の義務のない人たちの記憶を参考にした。

本から本へと受けつがれてきた誤りは避けるように気をつけた。シッカートの死後にでてきた情報は、彼の私生活について意図的に否定的、または軽率なことは述べていないと結論づけた。瘻孔のことにふれた人たちはそれが何かはっきりわからず、シッカートの精神に深刻な影響を与えると思っていなかったので、その件をあまり重視しなかった。ジョン・ルソールにおじの瘻孔についてたずねたところ、彼がまるで周知の事実のように、それは「(シッカートの) ペニスの孔《あな》のことだ」と答えたとき、正直いってわたしも驚いた。

ルソールは自分の言っていることの重要性にまったく気づかなかったようだ。デニス・サットンもシッカートの瘻孔についてはよく知らなかったのだろう。そのことに関しては、シッカートが「ミュンヘンで瘻孔の治療のために受けた」二回の手術はうまくいかず、一八六五年に一家がディエップに住んでいるとき、彼の大おばのアン・シープシャンクスが著名なロンドンの外科医にたのんで三回めの手術を受けるようすすめた、と書いているだけだ。

ヘレナも自伝では兄の医学上の問題のことにはふれていない。そもそも彼女がそれについて知っていたかどうかも疑わしい。兄の性器のことが家庭で話題になったとは思えないし、シッカートが手術を受けたときヘレナはまだ幼児だった。生殖器官のことがわかる年齢になるころには、シッカートもはだかで人前を走りまわってはいなかっただろう。ロンドンへきたのは「割礼《かつれい》を受けるため」とシッカートはよく冗談に言っていたが、瘻孔のことを遠まわしにほのめかしていたのだと思われる。

十九世紀には肛門、直腸、膣《ちつ》の瘻孔が多かったため、ロンドンのセント・マーク病院はその治療を専門にしていた。わたしが調べた医学文献にはどれもペニスの瘻孔についての記述はなかったが、この言葉はシッカートが抱えていたようなペニスの異常をさすのにも用いられていた。「瘻孔《フィステュラ》」は「笛」を意味するラテン語で、ふつうは異常な開口部や洞《ほら》のことをさす。瘻孔のため直腸が膀胱《ぼうこう》や尿道、膣とつながってしまうような、深刻な事態がおこることもある。

瘻孔には先天性のものもあるが、一般的には膿瘍《のうよう》が原因でおこる。膿瘍から深部組織や体表とのあいだに病的な通路ができ、そこから尿や糞便、膿《うみ》が排泄される。瘻孔は非常に不快でやっかいなだけでなく、場合によっては生命にもかかわる。古い医学雑誌には、耐えがたいほどの痛みをともなう潰瘍《かいよう》ができる、腸が膀胱とつながる、腸や膀胱が膣や子宮とつながる、直腸をつうじて月経血が排出されるなどの悲惨な症例があげられている。

一八〇〇年代なかばには、瘻孔の原因としてさまざまなことがあげられていた。ある種の食べ物やアルコール、不適当な服装、ぬれた座席にすわる、運動したあと乗合馬車で外を走る、小骨やピンをのみこむ、クッションを「ふんだんに」使う、仕事上の必要からすわることが多いなどだ。セント・マーク病院の創立者のフレデリック・サーモン博士は、チャールズ・ディケンズの瘻孔の治療をしている。かの大作家が机のまえにすわってばかりいたことが瘻孔の原因だと彼は述べている。

セント・マーク病院は一八三五年に、直腸の病気や「それに類する有害な疾患」にかかった貧しい人々の治療をするために設立され、一八六四年にイズリントンのシティ・ロードに移転した。一八六五年には事務局長が病院の年収の四分の一にあたる四百ポンドという大金を使いこんで逃走し、病院は財政的危機におちいった。瘻孔がなおったディケンズをホストとする資金集めのディナーパーティーを催すという案がだされたが、ディケンズはその名誉ある役を辞退した。同じ年の秋、着任したばかりの外科医、アルフレッド・ダフ・クーパーの「治療」を受けるため、ウォルター・シッカートがセント・マーク病院にやってきた。クーパー医師はのちにファイフ公の令嬢と結婚し、エドワード七世によりナイト爵をさずけられている。

彼は二十七歳の新進気鋭の医師で、医学界で急速に頭角をあらわしつつあった。直腸疾患と性病が専門で、その著作や他の文献をさがしても、彼がいわゆるペニスの瘻孔を治療したという記録は見当たらない。シッカートの瘻孔についての記述は、ごく軽かったというものから深刻だったというものまで、さまざまだ。もしかすると彼は尿道下裂と呼ばれる、遺伝的な外陰部形成不全をもって生まれたのかもしれない。これは尿道がペニスの先端のすぐ下で終わっている状態だ。シッカートが誕生した当時のドイツの医学文献には、単純な尿道下裂は「とるにたりない」もので、一般に考えられているよりずっと多いと記されている。「とるにたりない」とは瘻孔が生殖のさまたげにならないケースで、この場合は感染をおこして死ぬ危険もある手術をあえてする必要はないとされていた。

シッカートは三回の手術が必要だったことから、「とるにたりない」程度の形成不全だったとは思えない。一八六四年にベルリン大学の法医学の教授、ヨハン・ルードヴィッヒ・キャスパー博士が、より重篤な尿道下裂について発表した。尿道口がペニスのつけ根のほうに開口しているケースだ。さらにやっかいなのは尿道上裂で、分岐した尿道が未発達なペニスの背側を「浅い溝」のように走っている。十九世紀中期のドイツでは、こうした症例は半陰陽の一種、または「性別不明」と見なされた。

シッカートは生まれたときに性別がはっきりしなかった、つまりペニスが小さく、形が異常で、尿道口が開口していなかったのではないかと思われる。膀胱はペニスのつけ根――肛門の近く――に開口部のある管につながっており、陰嚢《いんのう》には女性のクリトリスや膣、陰唇に似た割れ目があった可能性もある。陰唇のようなひだのあいだに睾丸《こうがん》があり、子宮がないことがわかって、はじめて性別がはっきりしたのかもしれない。性分化異常のある子供が男の場合はたいていペニス以外の点では男性的で、健康に成長する。ペニスはいちおう機能はするが、正常とはいえない。手術の歴史が浅いころには、性器のはなはだしい形成不全を矯正しようとすると、結局切断するはめになることが多かった。

医療記録がないので、シッカートのペニスの異常がどんなものだったか正確にはわからない。だが問題が「とるにたりない」尿道下裂にすぎなければ、両親があえて危険をおかして手術を受けさせるだろうか？　非常に不快だったと思われる異常を矯正するのに、両親はなぜあれほど時間をおいたのだろう？　三度目に手術を受けたとき、シッカートは五歳になっていた。前の二回の手術からどれぐらい間隔があいていたのだろう？　シッカートの大おばが彼をロンドンへつれてくるようにすすめたことはわかっている。そのことは彼の障害が重く、前の二回の手術からあまり日がたっておらず、それらの手術によって合併症が生じたことを示唆しているように思える。もしこれらのつらい治療がはじまったとき、シッカートがすでに三、四歳になっていたとしたら、両親は彼の性別に確信がもてるまで手術などの処置をひかえていたのではないだろうか。シッカートがいつウォルター・リチャードと命名されたのかは不明だ。現在までのところ、出生証明書や洗礼式の記録などは見つかっていない。

ヘレナは、子供のころ「わたしたちは」いつもウォルターと弟たちのことを「ウォルターとぼうやたち」と呼んでいた、と自伝に書いている。「わたしたち」とはだれのことだろう？　弟たちがウォルターのことを「ウォルターとぼうやたち」と呼ぶはずがないし、おさないヘレナがそんな呼びかたを自分で考えたとも思えない。おそらく「ウォルターとぼうやたち」という呼称は両親、またはそのどちらかが使いはじめたのだろう。

ヘレナによると子供のころのウォルターはおませで支配的で、自分の思いどおりにしないと気がすまず、特別扱いされていたという。それからすると、「ウォルターとぼうやたち」という言いかたは、彼が別格であることを示すひとつの方法だったのかもしれない。あるいはシッカートが弟たちやほかの男の子と肉体的にことなっていることを暗に示していたとも考えられる。もしそうなら、くりかえしそう呼ばれることでおさないウォルターは屈辱を感じ、自尊心を傷つけられただろう。

彼は暴力的ともいえる治療により、子供時代に大きなトラウマをおった。生後十八ヵ月よりあとに尿道下裂の矯正外科手術を受けた子供は、去勢されることへの恐怖感をもつことがある。シッカートの場合は手術によりペニスに傷や狭窄《きょうさく》が生じ、勃起できないか痛みをともなうようになったかもしれない。性器の一部を切断された可能性もある。彼の作品には男性のヌードを描いたものはない。例外は十代のころか美術学校の生徒だったころのものと思われる、ふたつのスケッチだけだ。どちらの絵でも、裸の男性のペニスは短い切り株のように描かれており、見るからに異常だ。

切り裂きジャックの手紙のきわだった特徴のひとつは、その多くが製図用ペンで書かれ、あざやかな色のインクや絵の具がぬりつけてある点だ。それらは絵の勉強をした人か、プロの画家が描いたもののように見える。十数通の手紙には、男根を象徴するナイフが描かれている。どれも短剣のように長いが、痛烈なあざけりの言葉をつらねた二通には、先端を切りとったような奇妙な短いナイフが描かれている。そのひとつは一八八九年、七月二十二日に投函されたもので、透かしのはいっていない安い紙二枚に、黒インクで文字が書かれている。

ロンドン・ウエスト

ボスへ

また例のいたずらをやりにきたぜ。おれをつかまえたいか？ それならここをよく読むんだな。今夜十時半ごろコンデュイット・ストリート《St》のそばの家《diggings》をでる。コンデュイット・ストリート《St》周辺をみはってろよ。は、は。あと四人殺してみせる。女を四人やってコレクションに加えたら、それでいいことにしよう。昼ねしてるひまはないぜ……刃は大きくはないが鋭い（と、切り裂きジャックはナイフの絵のそばに記している）。

サインのあとに書かれた追伸は、「R. St. w.」というはっきりした文字で終わる。一見すると住所のように思える。本文に二回出てくる「St」はストリートをあらわしているし、「W」はウエスト《West》をさしているともとれるからだ。ロンドンに「Rストリート・ウエスト」という住所はないが、「R. St.」はコンデュイット・ストリートと交差するリージェント《Regent》・ストリート《Street》を省略したものととれなくもない。だがこのなぞめいた頭文字は二重の意味をもつとも考えられる。「できるものならつかまえてごらん」というメッセージのひとつではないだろうか？　これらの文字は犯人の正体と、彼がときどきすごす場所をほのめかしているのかもしれない。シッカートの油絵や水彩画、エッチング、スケッチのサインのなかには、シッカー《Sickert》トをSt.と短縮したものがある。ある時期から、彼はウォルターという名前をすててリチャード・シッカートと名乗り、作品にR.S.またはR.St.とサインするようになり、美術界を当惑させた。先の手紙が届いてから二ヵ月後の、一八八九年の九月三十日に警察にあてた切り裂きジャックの手紙にも、同じような短いナイフと、メスか西洋カミソリのようなものが描かれており、その刃にはR（またはW）Sという頭文字がうすくきざまれている。これら二通の手紙に記されたあいまいな頭文字が注目された形跡はない。おそらくシッカートはそのことを愉快に思っただろう。つかまりたくはなかったが、警察が彼のひそかな手がかりにまったく気づかなかったことに、力をえたにちがいない。

　シッカートはリージェント・ストリートとニューボンド・ストリートをよく知っていたと思われる。一八八一年に、ライシーアム劇場でオフェリアを演じるエレン・テリーが衣装をさがすためにリージェント・ストリートの店を見て歩いているとき、彼はそのあとをついてまわった。ニューボンド・ストリート百四十八番地には有名な画廊、ザ・ファイン・アート・ソサエティーがあり、そこでホイッスラーの絵が展示販売されていた。一八八九年七月の手紙で、切り裂きジャックは「diggings」という言葉を使っている。これは家とか住まいをあらわすアメリカのスラングで、事務所の意味で使われることもある。シッカートも職業柄、コンデュイット・ストリートの「周辺」にあったザ・ファイン・アート・ソサエティーとかかわりが深かったはずだ。

切り裂きジャックがこの手紙で何を言おうとしたのか推理してみたところで、シッカートの考えていたことがつきとめられるわけではない。だがさまざまな理由から、シッカートは一八八五年に出版されたロバート・ルイス・スティーヴンソンの『ジキル博士とハイド氏』を読んでいたと思われる。一八八八年の夏から上演されはじめたその芝居もきっと見ていただろう。スティーヴンソンのこの作品により、シッカートは自分の二重性に気づいたかもしれない。

切り裂きジャックとハイド氏には、共通点がたくさんある。こつぜんと姿を消す、さまざまな筆跡で書く、霧にまぎれる、変装する、着替えを用意した秘密の部屋をもつ、体つきや背丈、歩きかたを変えるなどだ。スティーヴンソンはこの小説で、サイコパスというものを象徴的に描きだしている。善人のジキル博士はあやしげなハイド氏に「とらわれて」いる。ハイド氏は「悪の化身」のような人物だ。彼は人を殺したあと、血なまぐさい犯行に幸福感をおぼえながら、暗い通りを逃げる。そのときすでにつぎの殺人のことを思い描いているのだ。

ジキル博士の邪悪な分身は、彼のなかにひそむ「獣性」だ。それは恐怖を感じることがなく、むしろ危険を楽しむ。ジキル博士は「第二の人格」のハイド氏のときにもっとも頭がさえ、すべての能力が「とぎすまされ」る。みんなに愛される善良な博士は、ハイド氏に変身すると激しい怒りを抱き、自分より力の弱い相手をみさかいなく苦しめ、殺したい衝動にかられる。「悪魔《ヘル》のようなその男には、人間らしさなどつゆほどもなかった」と、スティーヴンソンは書いている。「地獄《ヘル》からきた」シッカートの分身が、損なわれた男根のかわりにナイフをふりかざしたときも同じだった。

シッカートの不運は、おさないときの手術とその後の機能障害だけにとどまらなかった。彼は十九世紀の人々の言う「悪い血」を抱えていた。シッカートの後の手紙を読むと、ときどき膿瘍やはれものができて床につかねばならなかった様子がうかがえる。彼は医者にかかることは拒否した。シッカートの生まれつきの奇形やそれに関連したほかの健康上の問題について、はっきりしたことはわからない。だが一八九九年にシッカートは自分の「生殖器官」のことや、ずっと「苦しんで」きたこと、「肉体的苦痛」についてふれている。セント・マーク病院は一九〇〇年以前の患者記録は保管していない。サー・アルフレッド・ダフ・クーパーも、一八六五年におこなったシッカートの手術に関する書類を保存していない。彼の孫にあたる歴史家で作家のジョン・ジュリアン・ノリッジによると、クーパーの記録類は家族に受けつがれていないという。

一八〇〇年代初期からなかばごろまでは、手術を受けるのはたいへんな苦行だった。ペニスの手術ともなればなおさらだ。エーテルや亜酸化窒素（笑気）、クロロホルムなどの麻酔剤は三十年ほど前に発見されていたが、イギリスでクロロホルムが使われるようになったのは、一八四七年になってからだ。おそらくウォルターはその恩恵に浴することができなかっただろう。セント・マークの病院長だったサーモン博士は麻酔を信用せず、自分の病院ではその使用を禁じていた。使う量が適切でないと、患者が死亡することがよくあったからだ。

ドイツでの二回の手術のさいに、ウォルターがクロロホルムで麻酔されたかどうかは不明だ。しかし彼はパリに住む友人の画家ジャック＝エミール・ブランシュにあてた手紙に、クロロホルムで麻酔され、父のオズワルド・シッカートがそれを見ていたのをおぼえていると書いている。それが何のことか、いつのことか、何回あったことかはわからない。はたして事実かどうかも不明だ。一八六五年にクーパー医師による手術を受けたときは、麻酔をされたかもしれないしされなかったかもしれない。もっとも驚くべきことは、おさない少年が死ななかったことだ。

病気が細菌によっておこることをルイ・パストゥールがつきとめたのは、わずか一年前の一八六四年のことだった。石炭酸を殺菌剤として使うことで細菌感染をふせげるとジョゼフ・リスターが発表するのは、三年後の一八六七年だ。手術後に感染をおこして死亡する患者があまりに多かったので、がん、壊疽《えそ》、やけどや骨折などによっておこる劇症の感染など、命にかかわる病気になっても手術を拒否する人がすくなくなかった。ウォルターは死なずにすんだ。しかし病院での経験を思いだすのは、彼にとって苦痛だっただろう。

五歳のとき、いきなり父親にロンドンという見知らぬ町へつれていかれたときの不安は、察するにあまりある。母親ときょうだいからひきはなされ、やさしく思いやりがあるとはいえない父親に身をゆだねられたのだ。セント・マーク病院へいくために息子といっしょに馬車へのったオズワルドが、おさないウォルターの手をにぎって愛情のこもったはげましの言葉をかけたとは思えない。何も言わなかった可能性さえある。

病院へつくと、ウォルターは身のまわりのものをいれた小さなバッグとともに、婦長にひきわたされた。婦長はミセス・エリザベス・ウィルソン。七十二歳の未亡人で、規律を重んじる潔癖な女性だった。彼女はウォルターにベッドをあてがい、所持品をロッカーへいれ、彼を風呂にいれてから、病院の規則を読んでやっただろう。当時ミセス・ウィルソンは看護助手をひとりだけ使っており、夜間には当直の看護婦がいなかった。

入院してから何日後に手術がおこなわれたのかはわからない。クロロホルムやコカインの五パーセント溶液の注射などの鎮痛措置がとられたかどうかも不明だ。しかしセント・マーク病院で患者に麻酔をかけるのが慣例となったのは一八八二年以後であることを考えると、手術はおそろしいものだったと推測される。

部屋をあたためるため、また止血に使う焼灼《しょうしゃく》用のこてを熱するため、手術室では石炭の火が赤々と燃えていた。殺菌されるのはスチールの器具だけで、手術着やタオルは消毒されなかった。外科医は黒いフロックコートを着た。コートがどれぐらい血でよごれ、ごわごわになっているかが、その外科医の経験と地位をあらわすとされていた。清潔なコートにこだわるのはきざで神経質だとみなされた。当時ロンドンの病院にいたある医師は、フロックコートを洗濯するのは、死刑執行人がだれかの首を切る前につめの手入れをするようなものだと言っている。

セント・マーク病院の手術台は、ヘッドボードとフットボードのない鉄の寝台だった。おさない少年には、おそろしいものに感じられただろう。病棟で鉄のベッドに寝かされ、鉄のベッドのうえで手術された。彼が鉄のベッドを血と苦痛、恐怖、そして怒りとむすびつけたとしてもふしぎはない。ウォルターはひとりぼっちだった。父親は息子の障害に恥ずかしさや嫌悪を感じて、彼を安心させるようなことを言ってやらなかったかもしれない。ウォルターはドイツ生まれで、ロンドンへくるのははじめてだった。英語しか通じない牢獄に、ひとりでほうりこまれたようなものだ。そこで病人にかこまれ、年とった厳格な看護婦に命令され、体をさわられ、ごしごし洗われ、苦い薬をのまされた。

手術のときミセス・ウィルソンが勤務についていれば、ウォルターをあおむけにねかせ、脚をひらかせるのを手伝っただろう。直腸や性器の手術のさいは患者の腕をのばし、ひざをまげさせて手首を足首にしばりつけるのがふつうだった。ウォルターは布の帯で拘束され、さらに看護婦が両脚をしっかりおさえていたかもしれない。そのあいだにクーパー医師が病院の標準的な手術法にしたがって、瘻孔の管状の部分をメスで切りひらいたと思われる。

運がよければウォルターの試練は、クロロホルムをひたした布で鼻と口をふさがれて、息苦しい思いをすることからはじまっただろう。その場合は、あとでひどい吐き気に悩まされたはずだ。運が悪ければ手術のあいだずっと意識があり、自分の身におこっているおそろしいできごとを、すべて知覚しただろう。シッカートが看護婦を嫌悪し、五十年以上たってからも「看護婦とはいまわしいやつらだ。加圧帯に浣腸器にカミソリをもって……」と書いているのもなっとくできる。

クーパー医師は鈍いナイフを使って組織をひろげ、ペニスの開口部に「導子」（スチール製の探針）をさしこみ、やわらかい肉に套管針《とうかんしん》を刺したと思われる。新たな開口部に「丈夫な糸」をとおし、端に「かたい結びめ」をつくっただろう。これは時間をかけて組織を絞扼《こうやく》するための措置で、耳にピアス用の穴をあけたとき、ふさがらないように糸やピアスピンをとおしておくのと同じだ。具体的にどんな手術がおこなわれたのかは、ウォルターのペニスの障害がどんなものだったかによる。だがドイツでの先の二回の手術のため、クーパー医師がおこなった矯正外科手術はより厄介で、苦痛をともなうものにならざるをえなかったはずだ。瘢痕《はんこん》組織ができていただろうし、ほかにも狭窄やペニスの部分的、または完全な切断などの深刻な後遺症があったかもしれない。

クーパー医師の医療処置についての文献には、ペニスの瘻孔や尿道下裂に関する記述はない。だが通常の瘻孔の手術を子供に施す場合は、「おさない患者」がショックを受けるのをふせぎ、患部を「露出」したり傷口をひらいたままにする時間を「最小限」にとどめるため、できるだけ急いで処置をする、と彼は書いている。手術のしめくくりとして、クーパー医師は「結紮糸《けっさつし》」と呼ばれる絹の縫糸で切開したところを縫合し、傷口に生綿をつめた。ウォルターがこうした処置を受けているあいだ、のりのきいた制服に身をつつんだミセス・ウィルソンが必要に応じて手伝い、もしウォルターが麻酔をされていなければ、手足をつっぱり悲鳴をあげるのをなだめようとしただろう。もし麻酔をかけられたのなら、甘ったるいクロロホルムを吸って意識を失う寸前に目に映ったのは、ミセス・ウィルソンの顔だったかもしれない。意識がもどり、痛みと吐き気におそわれながら目をあけたとき、最初に見えたのも彼女の姿だったかもしれない。

チャールズ・ディケンズは一八四一年に麻酔なしで手術を受け、彼の言葉によると、「苦しくてじっとしていられず、大あばれした」という。「耐えがたいほどだった」と、彼は友人への手紙に書いている。ペニスの手術は、直腸や肛門への処置よりもっと苦しいだろう。患者が外国からきた五歳の子供の場合は、なおさらだ。苦痛に対処するすべを知らず、理解力もなく、おそらく英語も話せなかったから、ミセス・ウィルソンに包帯をとりかえられたり、薬をのまされたりしても、自分の身に何がおこっているのかわからなかっただろう。当時は血が多すぎるために炎症がおこると考えられていたので、炎症をおこしたときは彼女が血を吸わせるためのヒルをもって枕もとにやってきたかもしれない。

ミセス・ウィルソンは患者にやさしかったかもしれないし、まじめいっぽうできびしかったかもしれない。その時代には、看護に専念できるよう、独身か未亡人であることが看護婦の条件だった。彼女たちは安い給料で長時間にわたって働かねばならず、劣悪な環境でさまざまな危険にさらされていた。「酒をのむくせ」がつき、大急ぎで家へかえっていっぱいやり、ほろ酔いかげんでもどってくるような看護婦もめずらしくなかった。ミセス・ウィルソンはどうだったかわからない。禁酒主義者だったのかもしれない。

ウォルターが入院しているあいだ、つらくおそろしい日々がはてしなくつづくように思えただろう。八時に朝食、十一時半にミルクとスープ、夕方に夕食、九時半に消灯という日課だ。くる日もくる日も、ウォルターは痛みに耐えながら横たわっていた。夜はいくら泣いてもだれにもきこえない。彼にわかる言葉でなぐさめたり手をにぎってくれる人もいなかった。ウォルターがひそかにウィルソン看護婦を憎んだとしても彼を責められない。自分のペニスを傷つけ、ひどい苦しみを与えたのがミセス・ウィルソンだと思ったとしても、無理はない。自分が苦しいめにあっていたとき、そばにいてくれなかった母親をうらんだとしても、ふしぎではない。

十九世紀には、私生児として生まれることはたいへんな恥辱と見なされた。ヴィクトリア朝の考えかたからすると、シッカートの母方の祖母が婚姻の枠外で男性と関係をもったことは彼女がセックスを楽しんだことを意味する。したがって彼女は売春婦と同じ遺伝的障害をもっていたことになる。この先天的欠陥は子孫に受けつがれるもので、「感染性の血液毒」であると信じられていた。新聞にも「この病気は人類の歴史がはじまって以来災いのもとになっており、その悪しき影響は三代、四代と受けつがれていく」といった記述がよく見られた。

シッカートは少年時代の苦しみや屈辱感、性器の欠陥などを遺伝病のせい、つまりダンサーだった不道徳な祖母と私生児として生まれた母親から受けついだ「血液毒」のせいだと思っていたかもしれない。肉体的欠陥がおさないウォルターに与えた影響を思うと痛ましい。彼は心に深い傷をおった。大人になってから書いたものを見ても、彼が「医学に関係のあること」に異様にこだわっていることがわかる。医学的なことがらについて書いているわけではないのに、それにかかわる言葉を使っている。

シッカートの手紙や美術評論には、医療に関係した表現が比喩《ひゆ》としてよく出てくる。手術台、手術、診断、切開、露出させる、外科医、医者、不吉な手術室、去勢される、内臓を摘出された、臓器をすべて抜かれる、麻酔をかけられる、解剖、骨化する、奇形、接種する、ワクチン注射をする、などだ。絵や日常生活についての文章のなかにこうした言葉がひそんでいる。いきなりそうしたイメージがあらわれると驚くし、場合によっては不快でもある。シッカートの記述には、暴力的な表現も唐突にでてくる。彼が絵のことを述べているときに、「病的な恐怖、戦慄《せんりつ》、死のような、死んだ、死、死んだ婦人の心臓、自分の体を切り刻む、おそれさせる、おそれ、凶暴な、暴力、はらわたをぬかれた、人肉食い、悪夢、死産の、死んだような作品、死んだスケッチ、血、彼ののどにカミソリをあてる、棺桶のふたを釘づけする、腐った、カミソリ、ナイフ、切る」などの言葉があらわれると、ぎょっとする。

一九一二年に「イングリッシュ・レヴュー」誌にのった記事に、シッカートはこのように書いている。「ヌードのデッサンのために、美術学校はすべて、はだかの死体の写真を拡大したものをそなえておくべきである」

7　スラム街の紳士

一八八八年八月の最後の週は、その年でもっとも雨が多かった。もやのあいだから太陽が顔をだしたのは、平均すると日に一時間たらずだった。

八月にしては異例なほど寒く、どの家でも石炭をもやしていた。吐きだされた黒煙が、ロンドンの歴史のなかでも最悪の大気汚染をさらに悪化させていた。その時代には公害を監視するシステムはなく、「スモッグ」という言葉もまだ存在しなかった。だが石炭による公害は目新しいものではなかった。

十七世紀にイギリス人がまきを燃料として使うのをやめたときから、石炭の煙が人間や建築にとって有害であることは知られていた。しかしだからといって人々が石炭を使うのをやめたわけではない。一七〇〇年代には、ロンドン市内の住居数は推定四万、煙突の数は三十六万にのぼった。一八〇〇年代後半には、石炭の消費量は貧しい人々のあいだでとくにふえていた。ロンドンをおとずれた人は、町が見えるはるか前からそのにおいに気づいた。

空はどんよりしてまだらで、通りはすすでおおわれ、建物のみかげ石や鉄は腐食されていた。汚れた濃霧はなかなか消えず、いっそう濃くなって色もかわってきた。ローマ時代につくられた運河は汚れがひどくなったため、埋められた。一八八九年の公衆衛生報告には、ロンドンの汚染がこのペースですすむと、近いうちにテムズ川を埋めたてざるをえないだろうと書かれている。テムズ川は潮がみちるたびに、何百万人もの排泄物《はいせつぶつ》で汚染された。市民が黒っぽい服をきるのも無理はなかった。日によっては硫黄《いおう》のにおいのするすすけた空気の汚れと、むきだしの下水の臭気があまりにひどく、ロンドンっ子たちはハンカチで顔をおおって町を歩いた。目も肺もひりひりした。

一八九〇年の救世軍の報告によると、ロンドンの人口約五百六十万のうち、三万人が売春婦で、三万二千人の男女と未成年者が刑務所に収容されていた。その前年の一八八九年には、十六万人が飲酒のかどで有罪になり、二千二百九十七人が自殺し、二千百五十七人が道ばたや公園、あばら家で死亡した。ロンドンの人口の五分の一近くは家がなく、救貧院や施設、病院に収容されているか、赤貧にあえぎ飢餓にひんしていた。救世軍の創設者、ウィリアム・ブース大将のいう、「怒濤《どとう》のごとき」貧困は、主にロンドンのイースト・エンドで見られた。そこでは切り裂きジャックのような狡《こう》猾《かつ》な殺人犯が、住む家のない酔っぱらった売春婦を、やすやすとえじきにした。切り裂きジャックがイースト・エンドを恐怖におとしいれていたころ、彼のあさり場の人口は百万人ほどだったと推定される。過密状態だった近隣の集落もふくめると、その数は倍になった。ロンドンの波止場とホワイトチャペル、スピタルフィールズ、ベスナル・グリーンなどの荒廃した地域をふくむロンドン東部は、南にテムズ川、西にシティ、北にハクニーとショアディッチ、東にリー川があった。イースト・エンドの人口が増加したのは、イースト・エンドのオールドゲートからホワイトチャペル、マイル・エンドへつうじる通りがロンドンをでるための主要な道路だったため、また土地が平らで建築しやすかったためだ。

イースト・エンドの中核は、貧民のためのロンドン病院だった。いまでもホワイトチャペル・ロードにあるが、王立ロンドン病院という名称にかわっている。スコットランド・ヤードのジョン・グリーヴが切り裂きジャックの犯罪現場へ案内してくれたとき、ここでおちあった。ヴィクトリア朝に建てられたいかめしいれんがの建物は、あまり近代化されていないように見えた。いまだにあまり明るいとはいえない雰囲気で、一八〇〇年代末にジョゼフ・ケアリー・メリック――最後に彼を「所有」していた見世物師がまちがってジョン・メリックと呼んでいた――が一階の奥の二部屋をあてがわれていたころには、さぞ陰うつな病院だったろう。

「エレファント・マン」として後世に知られることになったメリックは、もし勇気ある心やさしい医師、サー・フレデリック・トリーヴスによって苦境から救いだされなければ、確実に死んでいただろう。一八八四年の十一月、トリーヴス医師がロンドン病院に勤務していたとき、通りの向こうの空き家になった八百屋の店舗で、メリックが見世物にされていた。後年、エドワード七世の侍医となったトリーヴス医師が語ったところでは、店の前には「悪夢でしかお目にかかれないようなおそろしい生き物」の等身大の絵をのせた宣伝用の大きなカンバスがたてられていたという。

二ペンス払えば、だれでもその残酷な見世物を楽しむことができた。子供も大人も列をなしてがらんとした寒い小屋にはいり、天井からつりさげられた赤いテーブルクロスのまわりに集まる。見世物師がおおいをのけると、スツールのうえで背を丸めてすくんでいるメリックの姿があらわれ、見物人はいっせいに驚きの声をあげる。メリックはだぶだぶの汚れたみすぼらしいズボン以外には何も身につけていなかった。トリーヴス医師は解剖学の講義をしており、ありとあらゆる奇形や不潔なものを目にしていたが、メリックほどひどい悪臭をはなつおぞましい生き物を見たのははじめてだった。

メリックはフォン・レックリンハウゼン病にかかっていた。これは細胞の成長を促進したり抑制したりする遺伝子の突然変異によっておこる。彼の肉体的異常のひとつははなはだしい骨の変形で、頭囲が九十センチ近くあり、片方の眼窩《がんか》のうえから「パンのかたまり」のような肉塊がもりあがって片目をふさいでいた。上あごはきばのような形で、上くちびるがめくれあがっているため、話すのが困難だった。「カリフラワー状の醜い皮膚におおわれた……袋のような肉のかたまり」が背中や右腕のほか、体のあちこちからたれさがっている。人間とは思えない顔は仮面のようで、いっさいの表情がなかった。トリーヴス医師に助けられるまで、メリックは低能で感受性も鈍いと思われていた。しかし実際の彼は非常に聡明で想像力にとみ、愛情深かった。トリーヴス医師がいうように、生まれてからずっと不当な扱いを受けてきたメリックは、意地悪なひねくれた人間になってもおかしくなかった。あざけりと残酷なしうちしか知らない彼が、どうして繊細さや思いやりをもつことができたのかふしぎだった。あんなひどい重荷をおって生まれてきたものが、かつているだろうか？　トリーヴス医師が指摘しているとおり、メリックは何も感じることができず、自分がぞっとするような姿をしていることがわからないほうが幸せだったかもしれない。美しいものをもてはやすこの社会で、あのような醜悪な容姿をもつほど苦しいことはないだろう。メリックの病気のほうがウォルター・シッカートの形成不全よりはるかに悲劇的だったことはまちがいない。

シッカートも二ペンスを払ってメリックの姿を見たかもしれない。シッカートは一八八四年にロンドンに住んでおり、婚約していた。当時彼はホイッスラーの弟子だった。ホイッスラーはイースト・エンドのショアディッチやペティコート・レーンなどのスラムにある古着屋の情景を知っており、一八八七年にそれを題材にしたエッチングを制作している。シッカートも師匠と行動をともにし、いっしょにあちこちへいった。ひとりでごみごみしたみすぼらしい通りをうろつくこともあっただろう。「エレファント・マン」はいかにもシッカートが好みそうな、残酷で低級な見世物だった。メリックとシッカートが目をあわせた瞬間もあったかもしれない。ふたりはまさに対照的な人間だったから、それは象徴的な光景になっただろう。

一八八八年に、ジョゼフ・メリックとウォルター・シッカートはどちらもイースト・エンドで秘密の生活を送っていた。メリックは読書が好きで、好奇心おうせいだった。自分のいる病院の外で、陰惨な殺人事件がおこっていることを知っていたにちがいない。メリックが夜、黒いマントとフードに身をつつんで病院をぬけだし、売春婦を殺害しているといううわさがたちはじめた。怪物メリックは女たちが彼と寝るのをいやがるので殺してしまう。セックスを拒まれたらどんな男でもかっとなるだろう。暗くなってからひそかに病院の庭へでてくる、あの化け物のような男はいかにもあやしいというのだ。幸い、まともな人間はだれもそんなばかげた話にはとりあわなかった。

メリックの頭は重すぎて、ほとんど動かすこともできなかった。もし頭ががくんと後ろにたれたら、首が折れてしまっただろう。夜、まくらに頭をのせるのがどんな気分か、彼にはわからなかった。メリックは横になって寝るところを想像し、いつの日か、やさしく愛撫しキスしてくれる女性――できれば盲目の――があらわれるよう、神に祈った。トリーヴス医師によると、彼の性器が体のほかの部分とはちがって正常なのは悲しい皮肉だった。不幸なことにセックスをする能力は十分あっても、その機会はまず訪れないだろう。メリックは巨大な頭を前にたらしてすわったまま眠った。つえの助けをかりないと、歩くこともできなかった。

メリックがホワイトチャペル殺人事件の犯人だという根も葉もないうわさが、彼の小さな部屋まで届いたかどうかはわからない。安全なその部屋は、有名人や王族のサインいりの写真でいっぱいだった。直接会いにきたものもいる。このような異形の人間を見ても嫌悪の情をあらわにしない自分の慈悲深さ、寛容さを見せびらかしたかったのかもしれない。彼らは友人たち、公爵や男爵とその夫人たち、そしてヴィクトリア女王にもその話をした。女王陛下はふしぎなもの、珍奇なものが好きで、チャールズ・シャーウッド・ストラットンという身長一メートルのアメリカの芸人トム・サムをひいきにしていた。ビアトリス・ウェッブのいう「荒廃した生活のはてしないどろ沼」であるイースト・エンドに目をむけるより、無害でおもしろい異形のものたちの浮世離れした世界にはいりこむほうが、ずっと楽だっただろう。

そのイースト・エンドでは悪徳家主が横行して、家賃が高騰していた。週一ドルから一ドル五十セントに相当する家賃は、労働者の賃金の五分の一にあたっていた。守《しゅ》銭奴《せんど》スクルージのような家主が家賃を上げると、何人もの子供がいる家族が住む場所を失い、全財産を手押し車にのせて路頭をさまようことになった。十年後、スラムの実態を見ようと身をやつしてイースト・エンドにはいったジャック・ロンドンは、貧しさと不潔さにまつわるいくつもの悲惨な話を記録している。そのひとつは、部屋で死んでいるのが発見されたある年配の女性の話だ。その部屋はダニやシラミだらけで、彼女の衣服は「虫におおわれて灰色に見えた」という。女性はやせほそり、体中にはれものができ、髪は「汚れ」と「シラミの巣」でごわごわだった。イースト・エンドでは、清潔にしようなどという試みは「お笑いぐさ」にすぎず、雨は「水というより脂《あぶら》」のようだった。

八月三十日の木曜日は一日中、この脂っぽい雨がしょぼしょぼふっていた。込みあったごみだらけの細い道を、荷馬車や手押し車がどろをはねかえしながらとおりすぎる。ハエが群がり、人々はつぎの一ペニーを手に入れようと必死だった。首都ロンドンのこのすさんだ地域の住人の大半は、本物のコーヒーや紅茶やココアを一度も味わったことがなかった。くだものや肉は、うれすぎたり腐ったりしたもの以外は口にはいらない。本屋もカフェもない。まともな人がいくようなホテルもなかった。売春婦が悪天候をさけ、わずかでも食べ物を口にしようと思えば、男にたのんでとめてもらうか、小銭をもらってドス・ハウス《木賃宿》と呼ばれる簡易宿泊所にとまるしかなかった。

「ドス」は寝台を意味するスラングだ。男も女も四、五ペンスはらうと、この粗末な汚い宿泊所の大部屋に寝ることができる。そこにはねずみ色の毛布のかかった小さな鉄の寝台がぎっしりならんでいた。シーツや枕カバーは、表向きは週に一度洗濯されることになっている。宿泊客は「浮浪者」と呼ばれていた。彼らはこみあった共同寝室に集まってたばこを吸ったり、つくろいものをしたり、ときにはおしゃべりに興じた。今後生活が楽になるかもしれないという希望をまだ捨てていないものは、冗談を言う。人生に疲れはて、絶望しているものは、気がめいるような話をする。炊事場では男や女が、昼のあいだに手にいれたり盗んだりした食べ物を料理した。酔っぱらいがはいりこんでふるえる手をさしだすと、残酷な笑い声とともに骨や残飯がなげられる。彼らがそれをつかみ、動物のようにかじるのをみなおもしろがって見物した。子供たちは食べ物をせがみ、炉にあまり近づくとひっぱたかれた。

　こうした非人間的な施設では、厳格で屈辱的な規則にしたがわねばならない。玄関番や監督者が壁にはってあるそれらの規則を守らせる。したがわないものは追いださ

れた。とまった人たちも、翌日分の料金を前払いしないかぎり、朝早く宿泊所をださ
れた。ドス・ハウスの所有者はたいてい上流階級の人々で、はなれたところに住み、宿泊所の管理は人まかせにしていた。自分の宿泊所を一度も見たことがないものもいた。わずかな資本さえあれば、救貧院の権利の一部を所有することができた。彼らは自分たちが所有する「模範的な宿泊所」がいかに悲惨な施設か、監督にあたる「管理人たち」がいかに悪辣《あくらつ》で乱暴なやりかたで必死の思いの宿泊者たちをおさえつけているかを、まったく知らなかった。というより、あえて知ろうとしなかったのだろう。ドス・ハウスは違法行為をおこなうものにも利用されていた。たとえば売春婦だ。かせぎのよい晩にはとまれるだけの小銭が手にはいった。客にせがんでつれていってもらうこともあっただろう。疲れはて、酔っぱらってひもじい思いをしているものにとっては、通りでセックスするよりはるかに快適だったはずだ。宿泊者のなかには「スラム街の紳士」と呼ばれるものもいた。どの時代にも見られる刺激をもとめる男たちで、りっぱな家や家族がありながら、下層階級の人々にまじってパブのはしごをしたり、ミュージックホールへかよったり、名も知らぬ相手と手軽にセックスしたりした。高級住宅地に住む男たちのなかには、この秘密の娯楽におぼれるものもいた。ウォルター・シッカートもそのひとりだった。

彼の作品にくりかえしあらわれる、もっともよく知られているモチーフは鉄のベッ

ドだ。はだかの売春婦がベッドに横たわり、男が攻撃的なしぐさでそのうえにかがみこんでいる。男とはだかの女がふたりとも腰かけている場合もあるが、男は必ず服を着ている。シッカートは当時使っていたどのアトリエにも鉄のベッドをおき、そのうえでモデルにポーズをとらせた。ときには彼が尊敬していたウィリアム・ホーガースのものだったという木製の人体模型――マネキン人形――といっしょに、自らベッドのうえでポーズをとることもあった。

シッカートは、お茶によんだお客をぎょっとさせるのが好きだった。一九〇七年にキャムデン・タウンで売春婦殺害事件がおこったあと、シッカートの客たちがキャムデン・タウンにある彼のうす暗いアトリエへいくと、シッカートはみだらなポーズをとらせたマネキン人形といっしょにベッドに横たわり、最近おこったその殺人について冗談を言った。そのエピソードや、シッカートのほかの奇妙な言動についても、不審に思うものはいなかったようだ。なんといっても彼はシッカートなのだから。彼と同時代の人々も、今日シッカートを研究している批評家や学者も、なぜ彼が暴力を表現し、切り裂きジャックの事件をはじめとする悪名高い犯罪にあれほどこだわったのか、考えてみようとしなかった。

シッカートは売春婦殺害の罪をのがれることのできる、特権的な立場にいた。嫌疑をかけられることのない階級に属していたし、あらゆる意味でまったく別の人間に変身する能力をもっていた。イースト・エンドの住人かスラム街の紳士に変装して、ホワイトチャペルのパブやドス・ハウス、その周辺のたまり場などをうろついてのぞき見するのは、彼にとっていともたやすい、刺激的な行為だったと思われる。画家であるシッカートは筆跡を変えてあざけりの手紙を書くことができた。それらの手紙が熟練したものによって書かれたことはあきらかだ。しかしこれまでだれもそのことに気づかなかった。二〇〇二年の六月に、美術史家のアナ・グリュッツナー・ロビンスと古文書収集家のアン・ケネットがロンドンの公文書館で手紙の原物をしらべて、はじめてそれらについての驚くべき事実が判明した。

切り裂きジャックの手紙についていた血液は人間か他の動物のものと思われていたが、実は粘着性のグラウンドか、数種のインクをまぜあわせて古い血液のように見せかけたものであることがわかった。血のように見えるそれらのしみや斑点《はんてん》は、絵筆でぬるか布地や指でつけたものだ。切り裂きジャックが使っている便箋は模造皮紙(注：丈夫なクリーム色の紙)、または透かしのはいった紙だ。警察は切り裂きジャック事件の捜査のとき、にじんだような筆のあとや使われている紙の種類に気づかなかったようだ。無学なもの、または頭のおかしいものによるいたずらと思われていた手紙に、三十ものちがう種類の透かしがはいっていたことに、だれも注目しなかった。そうしたいたずらをする連中がはたして製図用ペンやさまざまな色のインク、石版印刷用クレヨンやチャイナグラフ・クレヨン（注：陶磁器、ガラスなどにかくための色鉛筆）、エッチングググラウンド、絵の具や画用紙をもっていただろうか、と疑問に思うものはいなかった。

シッカートの肉体に彼自身を象徴するものがあるとすれば、それは変形したペニスではなく目だろう。彼は見るのが得意だった。目と足を使って人を監視し、ストーキングするのは、サイコパスの殺人犯の大きな特徴だ。衝動にかられたり宇宙や神からのメッセージにしたがって行動する無秩序な殺人犯とはそこがちがう。サイコパスは人を観察する。またポルノ、とくに暴力的なポルノを見る。彼らはおそろしいのぞき魔だ。

現代のテクノロジーにより、そうした殺人犯は自分が被害者をレイプし、拷問《ごうもん》し、殺害しているところを撮影したビデオを見ることができる。彼らは凄惨な犯行をくりかえし見て、マスターベーションをする。ある種のサイコパスにとっては、観察し、あとをつけ、空想し、最後の犯行を思いだすことがオーガズムをえる唯一の方法だ。元FBIプロファイラー、ビル・ハグマイヤーによると、テッド・バンディは背後から被害者の首をしめてレイプするとき、被害者の舌がつきでて目玉がとびだすにつれて興奮がたかまり、相手が死ぬ瞬間にクライマックスに達したという。

そのあとは犯行を思いだし、空想にふける。やがて暴力的でエロチックな衝動が耐えがたいほどにたかまり、彼らはふたたび犯行にはしる。被害者が死ぬ瞬間がやまだ。その後の冷却期間は、緊張から解放され、犯行を思いだす安全な時期だ。やがて空想がはじまり、ふたたび緊張がたかまってくる。そしてまたべつの被害者を見つける。シナリオをさらに大胆で刺激的なものにするため、彼らは新たな要素をとりいれる。縛る、拷問する、切り刻む、手足を切断する、グロテスクなやりかたで死体をおく、死体を食べる、などだ。

元FBIアカデミー教官でプロファイラーのエドワード・サルズバックが何年も前から指摘しているように、「実際の殺人はいわばつけたしで、重要なのは空想」だ。一九八四年にはじめてそれをきいたときはとまどい、その言葉を信じなかった。単純にも、犯人にとって殺すことが最大の楽しみだと思っていた。わたしはノースカロライナ州の「シャーロット・オブザーヴァー」紙の警察担当記者をしており、どんな犯罪現場へもためらわずにかけつけた。犯行がすべての中心だと思っていた。犯行がなければニュースにもなりえないと。そのころのことを思いだすと、なんとうぶだったのだろうと恥ずかしくなる。悪を理解しているつもりだったが、まるでわかっていなかった。

おそろしい事件の調査にかけてはベテランだと思っていたが、実は何も知らなかったのだ。サイコパスは「正常」な人間と同じ行動パターンを示すが、凶暴なサイコパスはふつうの人が考えもしないようなやりかたで、そのパターンから逸脱する。たいていの人は現実より刺激の強いエロチックな空想をするし、あることを期待しているときのほうが実際の経験より楽しい場合も多い。凶暴なサイコパスも同じで、犯行を計画しているときのほうが楽しい。

「ユニコーンをさがすのはポニーがいなくなってからにすること」と、サルズバックはよく言う。

暴力犯罪の多くはありふれたものだ。嫉妬にかられた男や女がライバルや、自分をうらぎった恋人を殺す。トランプゲームが原因のけんかでだれかが射殺される。強盗がドラッグを買うための金を奪おうと被害者を刺し殺す。ドラッグの売人が質の悪いドラッグを売ったために撃ち殺される。こういった犯罪がポニーだ。切り裂きジャックはポニーではなく、ユニコーンだった。利口なシッカートは、一八八〇年代と一八九〇年代には殺人の絵を描いたり、近所で現実におこった殺人事件を再現して友人たちを楽しませるようなまねはしなかった。彼に疑いの目をむけさせるような言動は、一八八八年には見られなかった。そのころシッカートはまだ若く、つかまることをおそれて慎重だった。新聞社と警察への手紙だけが証拠だが、それらは注目されず、無視されるか冗談としてあつかわれた。

シッカートが知人に語ったところでは、彼はふたつの悪徳を嫌悪していた。ひとつは盗みだ。もうひとつは飲酒で、彼の家系にはアルコール中毒になるものが多かった。シッカートに飲酒癖があったと考える理由はない。過度に酒をのむことは晩年になるまでなかった。薬もいっさいのまず、治療目的にも使わなかった。シッカートは人格的に破綻《はたん》し、精神的にゆがんでいたが、頭脳は明晰《めいせき》でぬけめがなかった。画家として興味をひかれるものや暴力的なことには、強い好奇心を示した。一八八八年八月三十日、木曜日の夜九時ごろ、ロンドンの波止場にあるブランデーの倉庫が火事になり、炎がイースト・エンド一帯を照らした。

遠くからも見物人が押しよせ、かぎのかかった鉄の門のあいだからもえさかる炎をながめた。消火隊が大量の水をかけたが、火は消えなかった。売春婦たちも好奇心にかられ、また予期せぬ商売のチャンスをのがすまいとやってきた。ロンドンの他の地域では、ほかの娯楽が夜をにぎわせていた。ライシーアム劇場ではかの有名なリチャード・マンスフィールドがジキル博士とハイド氏に扮《ふん》してみごとな演技をみせ、観客を魅了していた。『おじとおば』というコメディーの公演もはじまったばかりだった。「タイムズ」紙がすばらしいレビューをのせたほか、「ペーパー・チェイス」と「ユニオン・ジャック」もこれを絶賛していた。それらの芝居は八時十五分か八時半、または九時に開演した。終わったとき波止場の火事はまだおさまっていなかった。テムズ川沿いの倉庫や船はオレンジ色の光に照らされていた。その光は何キロもはなれたところからも見えた。そのときシッカートが自宅にいたにしろ、劇場かミュージックホールにいたにしろ、興奮した群衆がつめかけるサウス・アンド・スピリッツ埠頭《ふとう》でのドラマを見逃したはずはない。

　もちろんシッカートが火事を見物するために波止場へいったと断定することはできない。その晩はロンドンにいなかった可能性もある。ただし、それを裏づける記録はない。シッカートがロンドンにいなかったことを示唆《しさ》する手紙や文書、記事、絵画などは見つかっていない。彼が何をしていなかったかをさぐることで、彼が何をしていたかをあきらかにできる場合もある。

　シッカートは自分の居所を人に知られることを好まなかった。生涯にわたり、同時期にすくなくとも三つの秘密の「アトリエ」を借りていたことはよく知られている。これらのあばら家は人目につかない意外な場所に散在していたので、彼の妻や仕事仲間、友人もそれらがどこにあるのか知らなかった。一生のあいだに公にしたアトリエは二十近くにのぼっているが、それらはおおむねだらしなく散らかった「小さな部屋」で、「創作意欲をかきたてる」さまざまなものにあふれていた。シッカートはドアにかぎをかけて、ひとりで仕事をした。人に会うことはめったになかった。これらのむさくるしい部屋にだれかがたずねてくるときは、前もって電報で知らせるか、とくべつなノックをする必要があった。年がいってからはドアの前に背の高い黒い門をたて、鉄の柵に番犬をつないでいた。

才能ある役者はみなそうだが、シッカートも登場と退場のしかたが上手だった。彼はエレンや二番目、三番目の妻、知人たちに行き場所や理由を言わずに、何日も、何週間も姿を消すくせがあった。友人たちを夕食にまねいておいて、姿をあらわさないこともあった。好きなときにもどってくるが、いつも釈明はしない。外出するとそのまま帰らないことも多かった。ひとりで劇場やミュージックホールへいき、終わったあと深夜、またはうす暗い早朝に歩きまわるのだ。

シッカートがとおるルートは奇妙で、理屈にあわなかった。たとえばロンドンの中心部にある劇場やミュージックホールから、ストランド街をとおって家へ帰るとき。デニス・サットンによると、シッカートはしばしば北のホクストンへむかい、そこからあともどりしてホワイトチャペルの西のはしのショアディッチへいった。そこからロンドン北西部のブロードハースト・ガーデンズ五十四番地の自宅へもどるには、西へいってさらに北へいかなければならない。わざわざ遠まわりし、イースト・ロンドンの危険な地域へよるのは、ミュージックホールや劇場で「見たものについてじっくり考えるため、ひとりで歩きまわる」必要があったからだとサットンは述べている。彼はじっくり考えた。そして暗い不吉な世界とそこに住む人々を観察した。みにくい女が彼の好みだった。

8 割れた手鏡

メアリ・アン・ニコルズは推定四十二歳で、歯が五本欠けていた。身長は百五十八センチから百六十一センチ。太っており、肉づきのよい顔は十人なみ。目は茶色で暗褐色の髪には白髪がまじっていた。ウィリアム・ニコルズという印刷工と結婚しており、子供が五人いた。いちばん上が二十一歳、末の子は事件当時八つか九つだった。

飲酒癖とけんか早さのため、七年ほど前から夫と別居していた。夫は生活費として毎週五シリングの仕送りをしていたが、彼女が売春婦をしていることを知って、援助をうちきったとのちに警察に語っている。メアリ・アンは子供たちを手元におくこともできなかった。何年も前に、彼女がドルーという鍛冶屋《かじや》と同棲していることを前夫が知って裁判所に訴えたため、養育権を失ったのだ。しかしドルーもすぐに彼女のもとを去った。前夫が最後にメアリ・アンに会ったのは一八八六年の六月、石油ランプの爆発事故で焼死した息子の葬式でだった。

ひとりになってから、メアリ・アンはあちこちの救貧院を転々としていた。それらは大きな殺風景な建物で、千人にものぼる家のない男女が収容されていた。貧しい人たちは救貧院をきらっていたが、寒い朝には文無しの人々が「浮浪者収容室」と呼ばれる部屋に入居できることを期待して、長い列をつくった。部屋にあきがあり、門衛にいれてもらえても、その後くわしく尋問され、金を所持していないか調べられる。一ペニーでももっていると、ふたたび外へ追いだされる。たばこは没収された。ナイフやマッチをもちこむことも許されなかった。入居者ははだかにされ、全員が同じ水で体を洗われ、同じタオルで拭かれた。それから救貧院が支給する服をあてがわれ、ネズミが走りまわる悪臭のただよう部屋へつれていかれる。そこにはハンモックのようなキャンバス地のベッドが柱のあいだにならんでいた。

六時にだされる朝食はパンと、オートミールでつくられた「スキリー」と呼ばれるうす粥《がゆ》か、くさりかけたような肉だった。その後収容者は強制的に働かされる。何百年ものあいだ、罰として罪人に科せられてきたような過酷な労働だ。岩をくだく、こすり洗いする、槙皮《まいはだ》（古いロープをほぐした目のあらい繊維。船板の合わせ目につめたり、パイプの接続部のパッキンなどに用いる）をつくる、診療所や死体置場で病棟の掃除をしたり、死体の処理をするなどだ。診療所の治るみこみのない重病人は毒薬で「片づけられる」といううわさが流れていた。夕食は八時で、収容者たちは診療所の患者の食べ残しをあてがわれた。彼らは汚れた手で残飯をつかみ、むさぼり食った。スエット（注：牛や羊のかたい脂肪）のスープがだされることもあった。

浮浪者室の客たちはすくなくとも二泊三日滞在することが義務づけられていた。労働を拒否するとまたホームレスにもどることになる。体裁をとりつくろった文献には、こうした悲惨な宿泊所がさもすばらしい施設のように描写されている。これらは貧しい人たちの「避難所」で、粗末だが清潔なベッドがそなえられ、「栄養のある肉のスープ」とパンが与えられるというのだ。実際にはロンドンのイースト・エンドでそのような人間的な待遇をしてくれるのは、救世軍の宿泊施設だけだった。しかし世間ずれしてひねくれた連中は、たいていこれらの施設をさけた。救世軍の婦人たちは定期的にドス・ハウスをおとずれて神の寛大さを説いたが、貧しいものたちは現実を知っていた。メアリ・アン・ニコルズのような堕落した女に希望はなかった。聖書も彼女を救うことはできなかった。

前年のクリスマスと一八八八年四月までのあいだに、メアリ・アンはランベスの救貧院を数回にわたって出たり入ったりしていた。五月にはまともな生きかたをすることを誓い、りっぱな家庭の家政婦という、人のうらやむ仕事についた。ところが誓いは長つづきせず、七月には三ポンド十シリング相当の衣類を盗んで、奉公先から解雇された。メアリ・アンはますます大酒をのむようになり、ふたたび売春婦として生きるようになった。しばらくのあいだ、彼女はネリー・ホランドという売春婦といっしょに、荒れはてた家がならぶスロール・ストリートの一角にあるドス・ハウスのベッドを借りていた。スロール・ストリートは、ホワイトチャペルのコマーシャル・ストリートとブリック・レーンのあいだを、数ブロックにわたって東西に走る通りだ。

その後近くのフラワーアンドディーン・ストリートにあるホワイト・ハウスへ移ったが、宿賃がはらえなくなり、八月二十九日にそこを追いだされた。翌日の晩、彼女はありったけの衣類を身につけて通りを歩いた。男性と馬の図柄の大きな真鍮《しんちゅう》ボタンがついた茶色の外套《がいとう》、麻綿交織の茶色いフロック、ランベス救貧院のマークがステンシルで刷りこまれた、灰色のウールのペチコート二枚、茶色のコルセット（鯨髭でつくった硬い胴着）二枚、フランネルの下着、うね織りの黒いウールのくつした、男物のサイドスプリングブーツ。ブーツは足にあうよう、上部とつまさきとかかとが切ってある。それに黒のベルベットでふちどりした、黒いむぎわら帽子。ポケットには白いハンカチとくし、それに割れた手鏡がはいっていた。

メアリ・アンは夜十一時から翌朝二時半までのあいだに、数回目撃されている。いずれもひとりだった。最初はホワイトチャペル・ロード、つぎに「フライング・パン」というパブに姿を見せている。午前一時四十分ごろ、以前泊まっていたスロール・ストリート十八番地の簡易宿泊所の炊事場にあらわれ、いまは一文無しだけど宿泊代をかせいでもどってくるから、ベッドをとっておいてとたのんだ。目撃した人たちによると彼女は酔っており、出ていくときにすぐもどると約束し、「すてき」な帽子だろう、と自慢したという。帽子は新品のようだった。

メアリ・アンが生前、最後に目撃されたのは午前二時半だった。ともだちのネリー・ホランドが、オズボーン・ストリートとホワイトチャペル・ロードの角の、教会区教会の向かいで彼女と出会った。メアリ・アンは酔っぱらい、壁をつたってよろよろ歩いていた。簡易宿泊所のベッド代の三倍の金をかせいだけど全部使ってしまった、と彼女はネリーに告げた。いっしょに帰って寝ようとネリーがしきりに誘ったが、メアリ・アンはもうひとかせぎしてくると言いはった。教会区教会の鐘がなるなか、メアリ・アンは街灯のついていないホワイトチャペル・ロードをおぼつかない足どりで歩いていき、闇のなかへ消えた。

約一時間十五分後、チャールズ・クロスという荷馬車の御者が半マイルほどはなれたバックス・ロウ（注：現ダーウォード・ストリート）を歩いていた。ホワイトチャペルのユダヤ人墓地に接する通りで、クロスは仕事へ向かう途中だった。厩舎《きゅうしゃ》のそばまでくると、門の前の歩道に黒いものが見えた。最初は防水布かと思ったが、そうではなく女が倒れているのだとわかった。頭を東に向け、左手を閉じた門にかけている。右側の地面に帽子がおかれていた。どうしたのか見ようとしたとき、足音がした。ふりむくと、御者仲間のロバート・ポールがあらわれた。

「見てくれ」とクロスは呼びかけて、女の手にさわった。「死んでるようだ」ロバート・ポールはしゃがんで、彼女の胸に手をふれた。かすかな動きが感じられたように思った。「まだ息をしてるみたいだぜ」

着衣が乱れスカートが腰のあたりまでまくりあげられていたので、レイプされたのだろうと思い、ふたりは慎み深くスカートをおろしてやった。あたりが暗かったので、血がついていることには気づかなかった。ポールとクロスは急いで巡査をさがしにいき、H管区巡査番号五十五のJ・ミズン巡査と出会った。彼はユダヤ人墓地の西の、現場に近いハンベリー・ストリートとオールド・モンタギュー・ストリートの角を巡回中だった。舗道で女が死んでいる、または「酔いつぶれている」、と彼らは巡査に告げた。

男たちがミズン巡査をつれてバックス・ロウの厩舎のところへもどると、やはり死体を見つけたジョン・ニール巡査が付近のほかの巡査に知らせようと、大声で呼びかけランタンをふっていた。女はのどを切り裂かれていた。そこからほど近い、ホワイトチャペル・ロード百五十二番地に住むリース・ラルフ・ルウェリン医師は眠っていたところをおこされ、すぐに現場へ呼ばれた。その時点では女の身元は不明だった。ルウェリン医師によると、彼女は「完全に」死んでいた。手首は冷たくなっていたが、胴体や下肢にはまだぬくもりが残っていた。死んでから三十分とたっておらず、傷は「自ら加えたものではない」と、医師は断言した。首のまわりや地面にはほとんど血が見られなかった。

ルウェリン医師は近くのホワイトチャペル救貧院の霊安室に遺体をはこぶよう指示した。そこは救貧院の収容者のための私的な「死体置場」で、きちんとした検屍解剖をおこなうための施設ではない。すぐにそっちへいってくわしく検査する、とルウェリン医師は言った。ミズン巡査はベスナル・グリーン警察署から救急用の運搬車をとってくるよう部下に命じた。ヴィクトリア朝のロンドンの病院には救急車がなく、救急隊も存在しなかった。

重病人やけが人を急いでもよりの病院へ搬送するには、友人やとおりがかりの親切な人たちが、患者の手足をもってはこぶのが一般的だった。ときには「雨戸をもってこい！」という声がひびきわたり、患者は担架がわりの雨戸にのせられてはこばれることもあった。救急用運搬車は警察が使うもので、どこの警察署にもそなえてあった。扱いにくい木製の手押し車で、底の部分は丈夫な黒い革でできており、それに太い革のストラップがついている。黄褐色の革のほろがついていたが、それをのばしても好奇の目や悪天候から完全に患者を守ることはできなかった。

こうした運搬車は、酔っぱらいを公共の場からはこびだすのに使われる場合が多かったが、死者をはこぶこともたまにあった。夜、明かりのない轍《わだち》だらけのせまい道で手押し車をあやつるのは、さぞたいへんだったろう。運搬車は人をのせていなくてもひどく重く、方向を変えるのがむずかしかった。首都警察の倉庫に保存されているものから推測すると、重さが百数十キロはあった。担当の巡査がよほど力が強く、取っ手をしっかりにぎっていないかぎり、なだらかな坂でもひっぱりあげるのはひと苦労だったと思われる。

もしシッカートが闇にまぎれて被害者が運び去られるのを見ていたとしたら、このような陰惨な場面を目にしていたはずだ。巡査が息をきらしながら手押し車をおし、メアリ・アン・ニコルズのほとんど完全に胴体から切りはなされた頭部が、左右にごろごろゆれる。車輪がはねるたびに、血がとびちる。シッカートにとっては、わくわくするような光景だったろう。

シッカートはデッサン、エッチング、油絵などすべての作品について、実際に見たものしか描かなかったことで知られている。彼の作品のなかには、わたしが警察の倉庫で見たのとほとんど寸分たがわぬ手押し車を描いたものがある。サインも日付もはいっていないその絵は、「手押し車、ディエップ、リュー・サン・ジャン」という題で、目録によっては「かご屋」となっている。黄褐色のおりたたみ式ほろのついた手押し車の後ろから見た光景が描かれている。人通りのないせまい道の向こうにある店の前には、大きな細長いかごが積まれている。フランスで死者を運ぶのに使われていたようなかごだ。ぼんやりした人影が、手押し車のなかのものを見ようとこちらをながめながら、歩道を歩いている。帽子らしきものをかぶった男性のようだ。その足元には、黒い四角いものがある。旅行かばんのようだが、歩道にある下水道の鉄のトラップ《ふた》があいているところのようにも見える。メアリ・アン・ニコルズ殺害事件では、下水道の「トラップ」はあけられてはいないと警察は考えている、と新聞に報じられた。つまり犯人はロンドンの街のしたを縦横に走る、アーチ形をしたれんがの下水道をとおって逃げたのではないということだ。

トラップは舞台の床にあけられた穴のこともさす。俳優はそこから舞台に姿をあらわすことができ、観客は意表をつかれて驚く。シェイクスピアの『ハムレット』では、幽霊はたいていトラップを通じてあらわれたり消えたりする。シッカートは下水道のトラップより、ステージのトラップについてはるかによく知っていただろう。一八八一年にライシーアム劇場で上演されたヘンリー・アーヴィング主演の『ハムレット』で、彼は幽霊の役を演じている。シッカートの絵に描かれた人物の足元にある黒いものは劇場のトラップかもしれないし、下水道のトラップかもしれない。見る人をからかおうという意図で描かれたとも考えられる。

メアリ・アン・ニコルズの遺体は木の桶にいれられ、桶はストラップで運搬車に固定された。ふたりの巡査が遺体を死体置場へはこび、遺体がのった運搬車を中庭にとめた。すでに午前四時半をすぎていた。ふたりが死体置場でジョン・スプラットリング警部を待っているあいだに、ジョージ・ヤード・ビルディングに住む少年や巡査たちが現場を掃除した。バケツの水を地面にかけたので血だまりは溝に流れこみ、かすかな痕跡だけが石のあいだに残った。

舗道が洗い流されるのを見ていたジョン・ファイル巡査の証言によると、遺体の下の地面に直径十五センチほどの「血のかたまり」があるのに気づいたという。ルウェリン医師の証言とは逆に、現場には大量の血が見られた。被害者の首からふきだした血が背中をつたい、腰のあたりまで達したようだ、とファイルは述べた。ルウェリン医師も遺体をひっくりかえしてみれば、同じことに気づいたかもしれない。

スプラットリング警部が死体置場に到着し、うす暗いなかで管理人が鍵をもってやってくるのをいらいらと待った。ようやく遺体がなかに運びこまれたときには、五時をすぎていただろう。被害者が殺されてからすくなくとも二時間たっていた。遺体は桶にはいったまま、木の作業台の上にのせられた。ガス灯のほのかな明かりのもとで、遺体の状況をもっとよく見ようとスプラットリング警部が衣服のすそをめくりあげると、腹部が切り裂かれ、内臓が露出していた。翌日の九月一日土曜日の朝、ルウエリン医師が検屍解剖をおこない、ミドルセックス州南東地区担当の検視官ウィン・エドウィン・バクスターがメアリ・アン・ニコルズ殺害に関する審問をおこなった。アメリカの大陪審による予審は召喚されたもの以外は立ち会うことを禁じられているが、イギリスの検視審問は一般に公開されている。一八五四年に書かれた検視官の職務についての論文によると、裁判で重要となるような証拠を公表するのは違法だが、実際には公表されて人々に利益をもたらしているという。その詳細が犯罪を抑止する効果をもつかもしれないし、事実を知ることにより――容疑者がいない場合はとくに――一般市民も捜査に協力できる。事件のことを読んで、自分が何らかの役にたつ情報をもっていることに気づく場合があるからだ。

この理屈が正しいか否かはともかく、一八八八年当時には記事が正確でかたよりのないかぎり、検視審問や一方の当事者のみの審理でさえ、報道することが容認されていた。裁判の前に証拠や証言を公表するという慣行になれていないものにとっては、とんでもないことに思えるかもしれない。しかしイギリスがこうしたオープンな政策をとっていなければ、切り裂きジャック事件の捜査の記録は、ほとんど残っていなかっただろう。検屍報告書は数ページをのぞいてすべて消失している。多くは第二次大戦中になくなり、あとは事務的なミスや不注意、または不正により紛失したものと思われる。

大半の書類が失われていることはとても残念だ。警察の報告書や写真、メモなどが残っていれば、もっとずっと多くのことがわかったはずだ。しかし隠蔽《いんぺい》工作はなかったと思う。警察当局や政治家が大衆にショッキングな事実を知らせまいとして、もみ消しをはかったとは思えない。だが疑いぶかい人たちはあいかわらず自説をまげない。警察は切り裂きジャックがだれかを知りながらその人物をかばった、警察は不注意から彼を逃がしてしまった、あるいは精神科病院にいれて一般市民にはそのことを公表しなかった、王室が切り裂きジャックの犯罪にかかわっていた、警察は売春婦殺害に重きをおかず、本気で捜査しなかったことを隠したかった、等々だ。

どれも事実ではない。切り裂きジャック事件の捜査でどんな不手際があったにしろ、わたしが調べたかぎりでは警察が意図的にうそをついたり、にせの情報を流したりした形跡はない。捜査がうまくいかなかったのは、たんなる無知が原因だ。切り裂きジャックはきわめて現代的な殺人犯で、百年前にはつかまえるのが不可能だったのだ。長い年月のあいだにメアリ・アン・ニコルズの検屍報告書もふくめてさまざまな記録がなくなったり、どこかに紛れたり、もち去られたりした。収集家の手にわたったものもある。わたしも切り裂きジャックの手紙と称するものを千五百ドルで買った。

おそらくそれは本物だと思う。シッカートが書いた可能性もある。希少な書類を扱うディーラーが二〇〇一年にリッパーの手紙を手にいれたということは、どこかの時点でそれが事件のファイルからぬきとられたにちがいない。紛失したものはほかにどれぐらいあるのだろう？　スコットランド・ヤードの幹部によると、警察が切り裂きジャックのファイルをすべてキューの公文書館に委譲したのは、あまりに多くの書類がなくなったからだという。最後には番号のついた空のフォルダーだけが残ることになりかねなかった。

内務省が切り裂きジャックの事件記録を百年間封印したことも、陰謀説をとなえる人たちの疑念を増幅させた。スコットランド・ヤード記録管理課の文書係マギー・バードは、歴史的見地からそのあたりの事情を説明する。それによると十九世紀末には警察官が六十一歳になると、警察に保存されている個人ファイルをすべて破棄するならわしだったという。切り裂きジャック事件に関与した警察官についての情報がほとんどないのは、そのためだと思われる。捜査主任のフレデリック・アバーライン警部と彼の上司のドナルド・スワンソン主任警部に関するファイルは、いずれも残っていない。

現在でも世間の注目を集めた殺人事件では、被害者の遺族を守るため、ファイルは二十五年、五十年、七十五年と封印されることになっているという。もし切り裂きジャック事件の記録が一世紀のあいだ封印されなければ、何も残らなかったかもしれない。ミズ・バードによると、封印がとかれたあと、わずか二年間で記録の「半分」が消失したり盗まれたりしたという。

現在ではスコットランド・ヤードのファイルはすべて大きな倉庫に保管されている。箱にはラベルと番号がつけられ、コンピューターに入力されている。それらの箱にリッパーのファイルが紛れこんでいることはありえないとミズ・バードは断言する。記録はすべて公文書館へひきわたされ、ぬけている分は「粗雑なとり扱い、人間の欲、つまり窃盗、それに第二次大戦時の爆撃」により失われた。当時記録が保管されていた本署が、空襲によりなかば破壊されたのだ。

事件のなまなましいディテールや、死体置場の切り裂かれたはだかの遺体の写真の公表を一定期間ひかえることは、妥当だったかもしれない。だがファイルを封印したのは、おそらくそうした配慮のためだけではないだろう。スコットランド・ヤードがついに犯人をつかまえられなかったことをいつまでも世間の記憶にとどめておくのは、得策ではなかった。またこの時期に首都警察が史上最悪の警視総監によって牛耳られていたという、忌まわしい歴史も封じこめてしまいたかったのだろう。

女王はそのときどうかしていたのだろうか。市民はただでさえ「紺色制服のやつら」や「おまわり」をきらっているというのに、わざわざアフリカから横暴な将軍を呼びもどして警察のトップにすえたのだ。

チャールズ・ウォーレンはぞんざいで横柄な男で、りっぱな制服を好んで着た。彼は切り裂きジャックの犯罪がはじまった一八八八年の二年前に総監に着任した。あらゆることに責任逃れと力による押さえこみで対処するのが彼のやりかただった。その顕著な例が前年におこった「血の日曜日」の騒動だ。十一月十三日、トラファルガー広場で社会主義者たちが平和的なデモをおこなったが、ウォーレンはそれをやめるよう命じた。そうした命令は違法だったので、社会改革家のアニー・ベザントや下院議員のチャールズ・ブラッドローらはそれを無視し、予定どおりデモをつづけた。

ウォーレンの命令により、警官が非武装、無警戒の参加者たちにおそいかかった。騎馬警官がデモ隊のなかに突入し、「容赦なく人々をけちらした」と、アニー・ベザントは書いている。近衛兵も人々に銃をむけ、こん棒をふりまわした。平和を愛する善良な労働者たちは痛めつけられ、二名が死亡したほか多数が負傷した。何人かは申し立てをすることもできず投獄された。警察の暴虐の犠牲になった人たちを救うため、法と自由連盟が結成された。

ウォーレンの横暴はそれだけにとどまらなかった。死亡者のひとりの葬式のとき、彼は葬儀馬車がウォータールー橋の西側の主要な道路をとおることを禁じた。長い葬列はオールドゲートにそってゆっくり進み、ホワイトチャペルをとおりぬけて、ボウ・ロードにある墓地に到着した。一年後に切り裂きジャックが売春婦を殺害しはじめたのは、まさにその日葬列がとおった地域だった。彼が殺したのは、アニー・ベザントやチャールズ・ブラッドローらが救おうとしていた人々だった。シッカートの義弟のT・フィッシャー・アンウィンはアニー・ベザントの自伝を出版しており、シッカート自身もチャールズ・ブラッドローの肖像画を二回手がけている。どちらも偶然ではなかった。エレンやその家族は自由主義者として活動しており、彼らと親交があった。シッカートが画家としてかけだしのころ、エレンは彼のキャリアに役立つよう、肖像画の制作を依頼してくれそうな著名人に彼を紹介した。

アニー・ベザントとチャールズ・ブラッドローは貧しい人々のためにその身をささげた。シッカートは貧しい人々の命をうばった。嘆かわしいことに、切り裂きジャックの犯行は階級制度の暗部や、世界最大の都市ロンドンのおぞましい秘密を衝撃的な形であきらかにするための、社会主義的なメッセージであると示唆する新聞もでてきた。シッカートは実際の年よりずっと老けた、病気もちのみすぼらしい売春婦を殺害した。そうした女たちを殺すのは楽だったからだ。

殺人の動機は性的暴力をふるいたいという衝動、憎しみ、注目をあびたいという強い欲求だった。シッカートの犯行は社会主義的な主張とは何ら関係がなかった。彼はおさえがたい病的な暴力的衝動を満足させるために殺したのだ。新聞や大衆が動機として社会的、倫理的な理由をほのめかすたびに、シッカートはひそかな満足感にひたり、自信を深めたにちがいない。「は！　は！　は！」と、切り裂きジャックは書いている。「あんなうじ虫みたいな女どもを始末してやってるんだから、ありがたく思え。やつらは男より十倍もたちが悪いんだ」

9 ほの暗いランタン

ジョージ三世の時代には、街道や裏道にはたびたび強盗が出没した。彼らはつかまっても、たいていわいろをわたすことで罪をのがれた。

ロンドン市内は、こん棒とランタンと、上部をまわすとカラカラとけたたましい音をたてる、ラトルと呼ばれる木製の警報ベルをもった夜警に守られていた。状況が変わりはじめたのは一七五〇年ごろからだ。治安判事より作家として有名なヘンリー・フィールディングが忠実な巡査の一団を配下に集め、政府からの補充金四百ポンドを使って、「盗賊の捕り手《シーフ・テイカー》」を結成した。

彼らはロンドン市民の生命をおびやかすギャング団などの悪党を追いちらした。ヘンリー・フィールディングが退任すると、弟のジョンが兄の仕事をひきついだ。サー・ジョン・フィールディングは失明しており、囚人と相対するときは眼帯をつけることで知られていた。彼は声をきいただけで相手が犯罪者かどうかわかったという。サー・ジョン・フィールディングの監督のもと、シーフ・テイカーはボウ・ストリートに本部をおき、ボウ・ストリート・パトロール、ついでボウ・ストリート・ランナーズとして知られるようになった。この時点では、警察活動にはまだ私的な色あいが濃かった。住民のタウンハウスが窃盗にあうと、ボウ・ストリート・ランナーズは一定の料金で捜査をおこなった。犯人を見つけて、被害者と和解させることもあった。刑法と民法をくみあわせたような解決法だ。盗みは違法にちがいないが、示談にすれば秩序は回復できるし、とりひきすることでいろいろな面倒をさけることができる。

とられたものをすべて失うより、半分だけでもとりかえしたほうがよい。盗んだものをすべて失って牢屋にいれられるより、半分をかえしたほうがよい、という理屈だ。ボウ・ストリート・ラナーズのなかには、大金持ちになって隠退したものもいた。

暴動や殺人はあいかわらず多かったが、それらについては手のうちようがなかった。それ以外にもさまざまな悪事が横行していた。皮をとるために犬が盗まれ、殺された。牛に犬をけしかける「牛いじめ」がおこなわれ、群衆は牛が苦痛にあばれまわり、たおれて死ぬまでそのあとを追いかけた。一七〇〇年末から一八六八年まで罪人の処刑は公衆の面前でおこなわれ、おおぜいの見物人がつめかけた。

絞首刑がある日はお祭り騒ぎだった。その陰惨な光景は犯罪を抑止する効果があると考えられていた。シーフ・テイカーズやボウ・ストリート・ラナーズの時代には、三十馬泥棒、贋造《がんぞう》、万引などの犯罪でも死刑になることがあった。一七八八年には、数千人が二歳のフィービ・ハリスが贋金造りのかどで火あぶりになるのを見ようと、ニューゲートの牢獄へおしかけた。追いはぎは英雄扱いされ、見物人は絞首台に吊るされた彼らに声援をおくった。だが上流階級のものが罪にとわれると、おかした犯罪が何であれ、民衆にあざけられた。

一八〇二年にジョゼフ・ウォール総督が絞首刑に処されたときには、見物人は競って絞首台のなわを手にいれようとし、一インチ（注：約二・五センチ）一シリングでそれを買った。一八〇七年には、二人の殺人犯の処刑を見物するために四万人がおしよせ、何人もの大人や子供が圧死した。処刑されるほうもすぐに絶命するとはかぎらず、ぞっとするような光景が展開されることもあった。頸動脈が圧迫されるとたちまち意識を失うが、なわの結びめがゆるんだりうまく首にかからなかったりすると、首を吊られたものは激しくあばれる。そんなときは死をはやめるため、ばたつかせている足をつかんで強くひっぱった。ズボンがぬげてしまうことも多く、処刑者は悲鳴をあげる群衆の前ではだかで身をよじり、もだえた。斧《おの》による処刑がおこなわれていたころは、処刑人の手に硬貨をにぎらせるのを怠ると、ねらいがはずれて何度か切られるはめになった。

一八二九年に、サー・ロバート・ピールが市民には安心して家で寝たり通りを歩いたりする権利があることを政府と民衆に訴えた。それにより首都警察、つまりロンドン警視庁《スコットランド・ヤード》が設立され、ホワイトホール・プレイス四番地に本部が設けられた。その建物の裏口が、かつてサクソン族の宮殿があったスコットランド・ヤードに面していた。宮殿はスコットランド王の離宮だったが、十七世紀末にはほとんどが崩壊したためとりこわされ、残った部分はイギリス政府の官庁として使われていた。建築家のイニゴー・ジョーンズやクリストファー・レン、偉大な詩人ジョン・ミルトンなど、ここで公務についていた著名人は多い。ミルトンは一時期、オリヴァー・クロムウェルのラテン語専門の書記をつとめていた。建築家で喜劇作者のサー・ジョン・ヴァンブラが離宮跡地に建てた家を、ジョナサン・スウィフトは「ガチョウのパイ」のようだと評している。

　スコットランド・ヤードが本来、警察組織の名称ではなく場所の名前であることは、あまり知られていない。今日でもそうだが、一八二九年以来、「スコットランド・ヤード」はロンドン警視庁本部の意味で使われている。現在の正式な名称は「ニュー・スコットランド・ヤード」だ。おそらく一般の人たちは、スコットランド・ヤードはシャーロック・ホームズのような探偵の集まりで、ロンドンの制服警官は「おまわり」であるという通念をもちつづけるだろう。小説や映画でも、難解な殺人事件に手をやいた地方警察の人間が、「ここはスコットランド・ヤードの出番だな」という陳腐だが耳ざわりのよいせりふをはく場面が、今後もでてくるにちがいない。

設立当初からスコットランド・ヤードと制服姿の警官は、市民から敵視されていた。警察活動は市民権に対する侮辱《ぶじょく》であり、軍政下の法のようなものと見なされた。政府は警察を使って自分たちを監視し、おどそうとしていると市民は感じた。首都警察が設立されたとき、警官はできるだけ軍隊的な印象をさけるため、ブルーのコートとズボンに、ウサギ革のシルクハットというかっこうをした。逮捕した犯罪者に頭をなぐられたときのため、シルクハットは鋼鉄のフレームで補強してあり、柵や塀をのりこえたり窓から侵入したりするときに、踏み台として使うこともできた。

当初は首都警察に刑事はいなかった。制服をきた警官の存在さえおもしろくないのに、私服の男がうろつきまわって人をつかまえるなどもってのほか、と市民が猛反対したからだ。制服警官も刑事の導入には反対した。刑事のほうが給料がよいことに反発したほか、自分たちのことを告げ口するのが私服刑事の本当の目的ではないかと疑ったのだ。一八四二年に刑事部門を創設し、一八四〇年なかばに私服刑事を導入するまでに、警察はいくつか失敗をおかした。そのひとつは警察官としての訓練を受けていない、教養ある紳士を刑事として採用したことだ。イースト・エンドの酔っぱらった亭主が女房の頭をハンマーでなぐったり、カミソリでのどを切り裂いたりしたとき、そうした紳士が亭主を尋問しているところを想像してほしい。

犯罪捜査部《クリミナル・インヴェスティゲーション・デパートメント》（ＣＩＤ）が正式に発足したのは一八七八年。切り裂きジャックがロンドン市民を恐怖におとしいれはじめるわずか十年前だ。一八八八年になっても刑事に対する市民の感情はあまり変わっていなかった。警官が私服を着用したり、策略を用いて人をつかまえたりすることには、いぜんとして抵抗があった。警察は市民をわなにかけてはいけないことになっており、私服刑事が捜査活動をおこなうのは、特定地域でくりかえし犯罪がおこっているという十分な証拠があるときにかぎると決められていた。これは犯罪の防止ではなく、法の執行だ。イースト・エンドで切り裂きジャックの犯行がはじまったとき、スコットランド・ヤードが秘密捜査を命じるのがおくれたのは、この方針のせいだった。

警察は切り裂きジャックのような連続殺人犯に対抗できるような体制にはなっていなかった。メアリ・アン・ニコルズが殺されたあと、人々はますます警察に目をむけ、批判したりけなしたり、責めたりするようになった。メアリ・アンの殺害と審問についてのニュースはイギリス中の主だった新聞にとりあげられ、詳細に報じられた。「イラストレーテッド・ポリス・ニュース」紙などのタブロイド新聞や、一ペニーで買える「フェイマス・クライムス」の廉価版にも、この事件が一面でとりあげられた。さし絵画家たちは、センセーショナルできわもの的なさし絵を描いた。内務省の役人も、巡査や刑事、警察の上層部、そしてヴィクトリア女王も、この問題をどう解決すればいいかわからなかった。

切り裂きジャックが暗躍しはじめたころ、制服警官は受けもち区域を巡回するだけだった。みな安い給料で、酷使されていた。支給されているのは笛とこん棒、場合によってはラトル、そしてブルズアイ《牛の目》・ランタンと呼ばれる円筒形の手さげランプだけだ。これは危険で扱いにくい代物で、それをもっている人間をぼんやり照らすだけなのでダーク《暗い》・ランタンというあだ名がついていた。鋼鉄でできており、ひだのついたダスト・キャップのような煙突を含めて二十五センチほどの長さだった。火屋《ほや》には丸型の厚いすりガラスでできた直径七・五センチの拡大レンズがついており、なかに小さな油受けと芯がはいっていた。

炎の明るさは火屋をまわして調節する。内側の金属の筒が回転し、必要におうじて炎をさえぎる。ランタンの光を明滅させることにより、巡査がべつの巡査に合図することができた。といっても、ブルズアイ・ランタンの明かりを実際に見ると「明滅」という言いかたはおおげさだとわかる。わたしは一八〇〇年なかばにつくられたブルズアイ・ランタンをいくつか見つけた。さびてはいるが、バーミンガムのハイアット社製の本物で、切り裂きジャック事件の捜査がおこなわれているころに警察が使っていたのと同じものだ。ある晩、そのひとつをパティオにもちだし、油受けに小さな灯をともした。レンズは赤みがかったオレンジ色に輝いた。しかしガラスが凸状になっているため、見る角度によっては光が消えてしまう。

ランタンの前に手をかざすと、十五センチはなれたところで手のひらがわずかに見える。煙突から煙が細くたちのぼり、円筒は熱くなった。お茶をわかすことができたと言い伝えられているほどの熱さだ。金の取っ手がふたつついたこのランタンを手にもつか、S字留め金つきの革ベルトにぶらさげた巡査が、持ち場を巡回しているところを想像してみた。彼が大やけどを負わなかったのがふしぎに思える。

この時代の一般の人たちは、ブルズアイ・ランタンがいかに非効率的なものか知らなかったようだ。雑誌や安いタブロイド紙には、巡査がランタンの強烈な光線で路地やものかげをてらし、おびえた容疑者がこうこうたる光に目がくらんであとずさりする場面が描かれている。こうした漫画のような描写が意図的に誇張されたものでないとしたら、おおかたの人はブルズアイ・ランタンが実際に使われているのを見たことがなかったのだろう。意外ではない。ロンドン市内でもあまり犯罪のおこらない安全な地域をパトロールする警官は、ランタンをともす必要がなかった。ランタンの血走った目でぼんやりと行く先をてらしながら巡回するのは、ぶっそうな地域だけだ。歩くにしても馬車にのるにしても、ほとんどのロンドン市民はそうした場所へは近づかなかった。

ウォルター・シッカートは夜とスラムを好んだ。彼はミュージックホールへいったあと、一般市民が足をふみいれないような地域をうろつく癖があったから、ブルズアイ・ランタンがどんなものかよく知っていたにちがいない。シッカートがもっともあからさまに暴力的な絵を制作したのはキャムデン・タウンに住んでいたころだが、そのころ彼はブルズアイ・ランタンのぼうっとした明かりのもとで殺人の場面を描いていた。シッカートの自宅とアトリエのひとつを彼と共同で使っていた画家のマージョリー・リリーは、そうした光景を何度か目にしており、「ジキル博士」が「ハイド氏の皮をかぶった」ようだった、とのちに語っている。

天気が悪いときには、紺のウールの制服とケープは警官を寒さと湿気から守るには不十分だった。あたたかい日には、その服装はいかにも暑苦しそうだった。ベルトや上着のつめえりをゆるめることも、ぴかぴかの星のついた軍隊風のヘルメットをぬぐこともできない。支給された革のブーツが足にあわなくて靴ずれができたら、自腹を切ってべつのを買うか、だまって耐えるしかなかった。

一八八七年に首都警察のある警官が「ポリス・レヴュー・アンド・パレード・ゴシップ」誌に書いた匿名の記事から、平均的な巡査の生活の一端をうかがうことができる。この警官はボウ・ストリートにある下宿屋の二部屋に、妻と死にかけている四歳の息子とともに住んでいた。週二十四シリングの給料のうち十シリングは家賃に消える。社会不安がまし、市民は警察への敵意をつのらせていた。

警官たちはズボンの特殊なポケットにおさめた小さなこん棒以外に何の武器ももたず、毎日昼も夜もパトロールにでかける。彼らは「貧しさと欲望に理性を失った人たちとたえず接触しなければならず、疲れはてていた」。怒りを抱く市民たちは彼らを口汚くののしり、「民衆と貧乏人の敵」であると警官を非難した、とその無署名の記事には書かれている。暮らし向きのよい市民も、窃盗や押しこみにあったあと四時間から六時間ほどたってやっと警察を呼び、その後警察は犯人をつかまえられなかったと公然と非難した。

警察活動はむくわれないだけでなく、重労働でもあった。一万五千人の警官のうち、つねに六分の一は病欠しているか休暇中、または停職中だった。理論上は市民四百五十人に警官がひとりいることになっていたが、それは正確ではなかった。実際に町へでている巡査の数は、勤務時間によってちがった。夜間（午後十時から午前六時）は日中の二倍の警官が勤務についたので、昼間（午前六時から午後二時）（午後二時から午後十時）に巡回しているのは約二千人にすぎなかった。これは市民四千人に警官ひとりの割合で、ひとりが十キロ近い距離を担当することになる。八月には二千人が休暇をとるので、ひとりの負担はさらにふえた。

夜の勤務のとき、巡査は受けもち区域を十分から十五分、平均すると一時間に四キロのペースで歩くようきめられていた。切り裂きジャックの犯行がはじまったころには、この決まりは廃止されていたが、長年の習慣はすぐにはぬけなかった。まわりの人、とくに犯罪者は遠くからでも巡査のコツコツという規則正しい足音をききわけることができた。

グレーター・ロンドンは広さ千八百平方キロだ。早朝は勤務する警官の数が倍になったとしても、切り裂きジャックはひとりも巡査にあわずにイースト・エンドの通路や路地、中庭、裏通りをうろつくことができただろう。巡査が近づいてきたことは、その独特の足音でわかる。犯行のあとは暗がりにひそんで、遺体が発見されるのをまつ。目撃者や医師、警官が興奮した調子で話すのもきこえる。切り裂きジャックは目撃される心配なしに、ブルズアイ・ランタンのオレンジ色の目が動くのを見ることができた。

サイコパスの犯罪者は自分のシナリオにもとづいたドラマを見るのが大好きだ。連続殺人犯が犯行現場へもどったり、捜査に加わったりすることはめずらしくない。殺人犯は被害者の葬式にもよく顔をだすので、最近では私服警官がこっそり会葬者をビデオにとることも多い。連続放火犯は自分がおこした火事を見物するのが好きだ。レイプ犯は好んで社会福祉事業に参加する。テッド・バンディは悩みごと相談所でボランティアとして仕事をしていた。

ロバート・チェインバーズがニューヨークのセントラル・パークでジェニファー・ラヴィンを絞殺したとき、見せかけの犯行現場から通りをへだてたところにある塀のうえにすわって二時間待った。そして遺体が発見され、警察が到着し、モルグの係員が遺体袋のジッパーをしめてそれを救急車につみこむまでを見物した。「おもしろがっていたようです」。チェインバーズを刑務所へ送った検察官リンダ・フェアスタインは言う。

シッカートは芸人であると同時に、凶暴なサイコパスだった。現場で警官や医師が遺体を調べるのを見物せずにはいられなかっただろう。被害者が手押し車で運び去られるまで、闇にひそんでいたかもしれない。すこし距離をおいてあとをつけ、遺体が死体置場におかれるのをこっそり見たかもしれない。葬式へいった可能性もある。一九〇〇年代初期に、彼は窓から外を見ているふたりの女性の絵を描き、「とおりすぎる葬列」という不可解な題をつけている。切り裂きジャックの手紙には、現場で警官たちの様子を見たことや被害者の葬式へいったことが、あざけるような調子で書かれているものがある。

「こっちにはやつらが見えるが、向こうにはおれが見えない」と、切り裂きジャックは書いている。

首都警察のサー・チャールズ・ウォーレン警視総監は、犯罪にあまり関心がなかったし、それに詳しくもなかった。ウォルター・シッカートのような頭がよく創造性に富んだサイコパスにとって、ウォーレンは嘲笑《ちょうしょう》の的にするにはかっこうの相手だった。シッカートは彼を愚弄《ぐろう》し、その面目をつぶすことを楽しんだことだろう。結局さまざまな失敗に加えて切り裂きジャックをつかまえられなかったことが原因で、ウォーレンは一八八八年十一月八日に辞職した。

イースト・エンドの悲惨な状況に人々の目をむけたこととウォーレンを追いはらったことは、切り裂きジャックの数すくない善行といえるかもしれない。もっともその動機は、人のためとはいいがたいものではあったが。

10　法廷医学

メアリ・アン・ニコルズの審問でのルウェリン医師の証言によると、被害者の舌には軽度の裂傷があり、右あごの下のほうにこぶしでなぐられたか「親指で押さえつけられて」できたとおぼしきあざが見られた。左顔面には指のあとのような丸いあざがあった。

首には二ヵ所の切り傷があった。ひとつは長さ四インチで、左耳のすぐ下からはじまり、左あごの一インチ下を走っている。ふたつめは左耳のすこし前からはじまり、最初の傷の約一インチ下を走っている。ルウェリン医師によると、この傷は「円形」だという。何のことかよくわからないが、おそらく傷がまっすぐではなくカーブしている、あるいは首のまわりを走っていると言いたいのだろう。長さは八インチで、血管と筋肉組織と軟骨を切断し、椎骨《ついこつ》をかすめて右あごの三インチ下で終わっている。

腹部の傷に関するルウェリン医師の証言も、他の部分と同様ばくぜんとしている。左の「下腹部のあたり」にぎざぎざの切り傷があり、右側にも「三、四ヵ所」同じような傷が縦についている。さらに横に走る傷が「数ヵ所」あり、「陰部」にも小さな刺し傷がいくつかある。腹部の傷だけでも致命傷となりうるもので、それらは首を切られる前に負わされたものと思われる、とルウェリン医師は結論づけている。現場で首のまわりに血だまりがなかったことがその根拠だが、彼は遺体をひっくりかえしてみなかったことを検視官にも陪審にも告げていない。多量の血と直径十五センチほどの血のかたまりを見逃した――または見えなかった――ことに、この時点でもまだ気づいていなかったのかもしれない。

傷はすべて左から右へ走っているとルウェリン医師は証言し、そこから犯人は「左きき」であるという結論を導きだした。凶器――今回はひとつだけ、と彼は述べている――は刃の長い、「かなり」鋭いナイフで、「すさまじい力」で使われたという。あご顔のあざも犯人が左ききであることと矛盾せず、犯人は右手で被害者の口をおおって悲鳴をあげられないようにして、左手でくりかえし腹部を切り裂いたのだろうとルウェリン医師は推測している。彼の説によると、犯人は被害者と向かいあった状態で、突然おそいかかった。ふたりは立っていたか、彼女はすでに押したおされていた。犯人はメアリ・アンが悲鳴をあげてあばれまわるのをなんとかおさえながら、彼女の服を押しあげ、皮膚と脂肪を切り裂いて内臓に達するまでの傷をおわせたことになる。

切り裂きジャックのような利口でぬけめのない冷徹な殺人犯が、まず被害者の腹を切り裂いたというのは、理屈にあわない。被害者は想像を絶する恐怖とパニックと苦痛を味わいながら、すさまじい抵抗をくりひろげたはずだ。もし検視官が医学的なディテールについてもっと注意深くルウェリン医師に質問していれば、まったくちがうシナリオがうかびあがっていた可能性もある。犯人は前方からメアリ・アン・ニコルズに近づいたのではないかもしれない。彼女にひとことも話しかけてはおらず、彼女は犯人の姿を見ていないかもしれない。

切り裂きジャックは被害者に近づいて話しかけ、いっしょにひと気のない暗いところへいき、突然おそいかかってすばやく殺したというのが、一般にいわれている説だ。わたしも長いことそれが切り裂きジャックの手口で、彼の犯行にはすべてそれがあてはまると信じていた。多くの人たちと同様、切り裂きジャックがセックスを求めるふりをして女たちを誘ったと思っていた。街娼は客に背をむける形でセックスすることが多かったので、犯人にとっては気づかれずにそののどを切り裂くぜっこうの機会のように思えた。

それが切り裂きジャックの手口だった可能性を否定するわけではない。いくつかの犯行ではそれが使われたのかもしれない。だがそれがあてはまらない犯行もあるのではないだろうか。そう思いはじめたのは、二〇〇一年のクリスマスに家族でアスペンへいったとき、あることに気づいたためだ。エージャックス山のふもとのコンドミニアムで、ひとりで夜をすごしていたときのことだ。いつものようにスーツケース数個に資料をいれてもってきていた。すでに二十回近く見たシッカートの作品集をためくっていたとき、有名な「倦怠」という絵のところで手をとめた。ふしぎなことにこの作品はきわめて高い評価を受け、エリザベス皇太后がその五枚のバージョンのうちの一枚を買って、クラレンスハウスに飾っている。あとの四枚は個人や、テイト・ギャラリーのような権威ある美術館が所蔵している。

どのバージョンでも、退屈した年配の男性がテーブルの前にすわり、葉巻をすっているところが描かれている。男性は物思いにふけりながら遠くを見つめている。彼の前にはビールらしきものがはいった丈の高いグラスがおかれている。彼の前にはビールらしきものがはいった丈の高いグラスがおかれている。後ろのドレッサーにもたれた女性にはまったく関心がないようだ。彼女は片手で頭をささえ、ガラスのおおいをかぶせたハトの剝製《はくせい》を、不きげんそうにながめている。この絵の中心は、退屈しているカップルの頭の後ろの壁に飾られた、プリマドンナの絵だ。「倦怠」のいくつかのバージョンを見たところ、作品によりプリマドンナがすこしずつちがっていることに気づいた。

三つのバージョンでは、彼女はむきだしの肩にふさふさした羽毛のえりまきをかけている。だがエリザベス皇太后が所有していたものとテイト・ギャラリーにあるバージョンでは羽毛のえりまきはない。何かよくわからない赤っぽい茶色のものが左肩をつつみ、二の腕から左胸へのびている。プリマドンナの左肩の上に、縦長の三日月形をした肌色のものがあるのに気づいたのは、アスペンのコンドミニアムでわたし自身倦怠を感じていたときだ。その肌色の物体の左側には、耳のように見える小さなでっぱりがある。

よく見ると、それは半分がかげになった男性の顔のようだった。彼はプリマドンナの後ろから近づいてきている。彼女はその気配を感じたかのように、わずかに顔をそちらに向けている。倍率の低い拡大鏡で見ると、なかば隠れた男性の顔がよりはっきりし、女性の顔はどくろのように見えてくる。だが高い倍率で見ると、その部分はシッカートの筆のタッチにまぎれてわからなくなる。ロンドンへいってテイト・ギャラリーに飾られている原画を見たが、やはり同じように感じられた。科学技術を使えばより鮮明な像がえられるかもしれないと思い、その絵のスライドをバージニア犯罪科学研究所へ送った。

コンピューターによる画像強調は、肉眼では識別できない何百ものグレーの濃淡の差をとらえることにより、ぼやけた写真や消された文字をうかびあがらせる方法だ。

しかしこれは銀行の監視ビデオの映像や、うつりの悪い写真をはっきりさせるには効果的だが、絵画ではうまくいかない。「倦怠」の画像強調をおこなったところ、シッカートの筆のあとがひとつひとつ見えるようになっただけだった。法科学が人間の認知力、推理、経験、常識、そして努力にとってかわることは永久にないだろう。切り裂きジャックの犯罪の調査を通じて、そのことをくりかえし認識させられた。

　シッカートの「倦怠」は、わたしが注目するはるか前から切り裂きジャックの推理でとりあげられている。だがそれはいま説明したのとはまったくちがう面からだ。この作品のひとつのバージョンでは、羽毛のえりまきをしたプリマドンナの左肩に、白いしみのようなものが見える。それはドレッサーの上にあるガラスのおおいの下の、ハトの剥製にやや似ている。一部の切り裂きジャック研究家は、その「鳥」が「カモメ（シー・ガル）」だと主張する。ヴィクトリア女王の侍医のサー・ウィリアム・ガルが切り裂きジャックであることをほのめかすため、シッカートが自分の絵のなかに巧妙に「カモメ《ガル》」をまぎれこませたというのだ。このような解釈をする人たちは、ガル医師とヴィクトリア女王の孫にあたるクラレンス公が切り裂きジャックによる五件の殺人に関係しているとする、王室陰謀説を支持している。

　この説は一九七〇年代にだされた。本書では本物の切り裂きジャック以外の人たちについてとりあげるつもりはないが、ガル医師もクラレンス公も切り裂きジャックではないことは明言しておく。一八八八年にはガル医師は七十一歳になっており、すでに一度脳卒中の発作をおこしていた。クラレンス公、通称エディは鋭い刃物を使うどころではない、およそシャープさとは無縁の人物だった。彼は予定日より二ヵ月早く生まれている。母親が夫のアイスホッケーの試合を見にいき、そりで「ふりまわされ」たため産気づき、フロッグモアへつれもどされた。予想外の出産だったため、地元の開業医がエディをとりあげた。

エディが順調に発育しなかったのは早産で生まれたからというより、皇室の遺伝子プールがかぎられていたためだろう。エディは性格はよかったが、愚鈍《ぐどん》だった。感じやすく温和だが、ものおぼえが悪い。馬に乗るのもやっとで、軍事教練でもぱっとせず、もっぱら服に執着した。困惑した父親の皇太子と祖母の女王陛下ができることといえば、ときどきエディを遠くの国への長期旅行に送りだすことぐらいだった。

エディの性的嗜好《しこう》や無節操な行動についてのうわさは、今日にいたるまでつづいている。一部の本に書かれているようにエディが同性愛者だった可能性もあるが、彼は女性とも関係をもった。エディは性的に未熟で、同性と異性の両方をためしてみたのかもしれない。英国王室の一員で両性愛者だったのはエディがはじめてではなかったかもしれない。しかしエディが愛慕したのは女性、とくに彼を溺愛した美しい母親だった。彼女は息子が王冠より着るもののほうに関心があることを、さほど心配していなかったようだ。

一八八四年の七月十二日。皇太子、つまり将来の英国王であるエディの父親が、いらだちもあらわにエディのドイツ語の家庭教師にあてて書いている。「ご報告により息子が午前中をいつもだらだらすごしていることを知り、たいへん残念に思っています。……不足分をおぎなうため、余分に勉強させてください」。王室の別邸マールバラハウスで書かれた七枚にわたるこの書状で、不安にかられた父親は王位継承者である息子が「気力をふるいおこして努力する必要がある」ことを、必死に強調している。

エディには売春婦をえじきにするような元気も、そうしたことへの関心もなかった。彼がそんなことをしたと考えるのはばかげている。アリバイが必要なわけではないが、切り裂きジャックによる殺人のすくなくとも三件がおこった夜には、エディはロンドンはおろか、その近くにもいなかった。それに一八九二年の一月十四日に彼が若くして死んだあとにも、殺人はつづいている。侍医のガル医師のほうも、たとえ年寄りで体が弱っていなかったとしても、ヴィクトリア女王や虚弱なエディの健康を気にすることで手いっぱいだったはずだ。深夜や早朝に王室の馬車でホワイトチャペルを走りまわって、売春婦をめった切りにするようなひまも気力もなかったろう。エディが売春婦のひとりと「ひそかに結婚」し、その仲間にゆすられていたためにガル医師が彼女たちを殺したという説があるが、ナンセンスだ。

しかしエディがゆすられたことがあるのは事実だ。ジョージ・ルイスにあてた彼の二通の手紙がそれを裏づけている。ルイスは後にシッカートがかかわっている訴訟でホイッスラーの弁護を担当した、辣腕《らつわん》の法廷弁護士だ。エディは一八九〇年と一八九一年に、ルイスに手紙を送っている。身分の低いふたりの女性とのっぴきならない関係になったためだ。そのひとりはミス・リチャードソンという女性だった。エディは軽率にも彼女ともうひとりの女性に手紙を何通か送っており、金をはらってそれをとりかえそうとしていた。

「ミス・リチャードソンと話がついたそうで、うれしく思っています。手紙に二百ポンドとはいささか高いとは思いますが」と、エディは一八九〇年の十一月にルイスにあてた手紙に書いている。そして「先日」ミス・リチャードソンから連絡があり、彼女がさらに百ポンドを要求している、とつづけている。また「もうひとりの女性」にあてた手紙をとりかえすためにも「できるだけのことをするつもりです」と述べている。

二ヵ月後の一八九一年、エディは「(十一月を棒線で消して)十二月」に「騎兵隊(注：cavalry を cavelry とつづっている)兵舎」から「トラブルから救いだしてくださったことに感謝して」ルイスに手紙と贈り物を贈っている。しかし「もうひとりの女性」のほうはそう簡単に譲歩しなかったらしく、友人を彼女のもとへやり、「わたしが送った二通か三通の手紙をかえしてもらいました……将来はこのような面倒なことにまきこまれないよう、気をつけます」と、ルイスに報告している。

クラレンス公がミス・リチャードソンと「もうひとりの女性」に送った手紙にどんなことが書かれていたのかはわからない。だがともかく彼の行状が王室を困らせるようなものであったことはまちがいない。相手をゆすろうとするような女性とかかわったことが公になったら、祖母はもちろん国民も喜ばないことをエディは承知していたはずだ。このゆすりの一件から、こうした事態がおきたときに、エディは人をさしむけて自分をおびやかす相手を殺してめった切りにさせるのではなく、金で解決しようとしたことがわかる。

シッカートの絵に「手がかり」が隠されているとしても、それは彼自身のこと、彼が何を感じ、どんな行動をとったかに関するものだ。シッカートは自分が見たものを、想像力というフィルターをとおして描いた。その想像力はときに子供っぽく、ときに残忍だった。シッカートの作品を見ると、彼がいつも後ろから人を観察していることがわかる。自分は相手が見えるが、相手にはこちらが見えない。シッカートには被害者が見えたが、向こうには彼が見えなかった。シッカートはメアリ・アン・ニコルズを襲う前に、しばらく彼女の様子を見ていたと思われる。どれくらい酔っているかを見きわめ、どんな方法をとるべきかを考えただろう。

暗いなかで彼女に近づき、コインを見せて適当なことを言い、それから後ろにまわったのかもしれない。あるいは暗がりからとびだして、いきなり襲いかかったのかもしれない。被害者の傷に関する報告が正確だとすると、犯人は背後から襲って彼女の頭をのけぞらせ、むきだしになったのどをナイフでかき切ったと思われる。そのとき被害者が舌をかんだとしたら、ルウェリン医師が見つけた舌の傷の説明がつく。彼女が身をよじって逃げようとしたとすると、のどの最初の傷が中途半端で、目的をとげられなかったように見える理由もわかる。あごと顔のあざは、犯人がさらに力をこめて彼女をおさえつけて、二回目にのどを切ったときについたのかもしれない。そのときはすさまじい力が加えられたらしく、ひとかきでほぼ完全に首が切りはなされている。

切断された左頸動脈から血がふきだしたはずだが、犯人は彼女の後ろにいたので、動脈血を浴びずにすんだ。殺人犯といえども顔にかえり血を浴びたくはないだろう。被害者が何らかの病気、おそらく性感染症にかかっている可能性が高いときはなおさらだ。メアリ・アンがあおむけに倒れると、犯人は彼女の下半身のほうへ移動して、服を押しあげた。メアリ・アンは悲鳴をあげることができなかった。切断された気管から空気と血を吸いこんだり吐いたりするときの、息がもれるようなシューシューいう音をたてるだけだったろう。全身のほとんどの血液が流れだし、彼女は自分自身の血でおぼれ死んだのかもしれない。そうだとすると絶命するまでに数分かかったはずだ。

ルウェリン医師が書いたものも含めて、検屍報告書には「即死した」と記されていることが多い。だが人が瞬間的に死ぬことはありえない。頭に銃弾を受けて一瞬のうちに体の自由がきかなくなることはあるが、失血死や窒息死、溺死する、あるいは脳卒中や心不全により体の機能がすべて停止するまでには何分かかかる。犯人がメアリ・アンの腹を切り裂きはじめたとき、彼女はまだ意識があり、何がおこっているのか認識していた可能性もある。中庭におきざりにされたとき、まだかすかに息があったかもしれない。

メアリ・アンの遺体が運びこまれた日の朝、死体置場を担当していたのはホワイトチャペル救貧院の入居者のロバート・マンだった。九月十七日の検視審問でのマンの証言によると、午前四時すぎに警官が救貧院へやってきて彼をおこし、死体置場の外に遺体がおいてあるので急いでくるようにいった。ついていくと、中庭に救急用の手押し車がとめてあった。いっしょに遺体をなかに運びいれると、スプラットリング警部とルウェリン医師がきてざっと調べた。その後警官たちはでていき、彼は五時ごろに死体置場の鍵をかけて朝食をとりにいった。

一時間ほどしてマンは同じ救貧院の入居者のジェイムズ・ハットフィールドといっしょに死体置場へもどった。だれもいなかったが、ふたりで遺体の衣服をぬがせた。遺体にさわらないようにという指示は受けていなかった、警官はその場にいなかった、とマンは断言した。それはたしかなんだね、とバクスター検視官は念をおした。はい、いや、もしかするとちがっているかもしれない。よくおぼえていません。そこにいたと警察の方がいうなら、そうだったのかもしれません。証言の途中でマンはしだいにあやふやになっていき、「興奮状態になった……その証言は信頼できるとはいいがたい」と、「タイムズ」紙は報じている。

ウィン・バクスターは事務弁護士だった。検視官としても経験豊かで、二年後にはジョゼフ・メリックの審問をとりおこなっている。バクスターは法廷でうそをついたり、事件の処理に関するルールを破ったりすることを容認するような人間ではなかった。彼はマンとハットフィールドがメアリ・アン・ニコルズの衣服をぬがせたことにひどくいらだち、マンをきびしく追及した。マンは混乱し、おどおどしていたが、遺体の衣服が破れたり切られたりしていなかったことについては自信をもって証言した。彼とハットフィールドは医師の手間をはぶくため、医師がくる前に遺体をはだかにして洗っただけだった。

ふたりは作業を手早く、楽にすすめるため、衣服を切ったり裂いたりした。メアリ・アンは何枚もの服を重ね着しており、一部は乾いた血でごわごわになっていた。それに遺体は完全に硬直していたので服をぬがせるのはたいへんだった。ハットフィールドの証言もすべてマンの言ったことと一致した。ふたりは朝食のあと死体置場のかぎをあけた。そしてふたりだけで遺体の服を切ったり裂いたりして、それをぬがせた。

ほかにはだれもいなかったが、ふたりで遺体を洗った。そうするべきではないとは思ってもみなかった。審問でのふたりの証言の記録を見ると、彼らがおびえ、困惑しているのがわかる。ふたりともいけないことをしたとは思っていなかった。なぜそれが問題にされるのか、本当にわからなかったようだ。そもそも救貧院の死体置場に、警察で扱う事件の被害者を運びこむべきではなかった。そこは救貧院の入居者が死んだとき、共同墓地へ埋葬する前に一時的に遺体を安置する場所だった。

forensic（注：法廷の）という言葉は、ラテン語で「広場」、または「公共の場」を意味する。古代ローマではこうした場所で、弁護士や弁士が自分の言い分を裁判官の前で陳述した。法医学は法廷の医学だが、一八八八年にはそれは存在しないも同然だった。悲しいことに、メアリ・アン・ニコルズの事件では、利用できたにしろ失われたにしろ、物的証拠はほとんどなかった。しかし遺体が死体置場に運びこまれたとき、すでに衣服が切り裂かれていたかどうかがわからないのは、手痛い損失だ。犯人がどんなことをしたかがくわしくわかればわかるほど、犯行時の彼の感情がはっきりする。

現場でのメアリ・アンの遺体の状況から考えて、衣服は乱れてはいたが切り裂かれたり破られたりはしていなかったのだろう。切り裂きジャックのこの犯行では暴力がエスカレートしていた。切り裂きジャックはメアリ・アンの事件では、彼女が着ていた外套とウールのペチコート、フランネルの下着、スカートを押しあげ、むきだしにした腹部の一ヵ所をぎざぎざに切り、「三、四ヵ所」を手早くたてに切り裂き、格子《こうし》模様のように「数ヵ所」を横に切った。それから陰部を数回浅く突き刺し、そのまま闇にまぎれて姿を消した。

検屍の検案図や写真を見ずに傷の様子や、犯人がどんなことをして何を感じていたかを推測するのはむずかしい。傷にも荒々しいもの、弱々しいもの、ためらい、または怒りの感じられるものがある。手首を切って自殺した人の場合も、静脈を切断する深い切り傷のほかに浅い傷が三つか四つあるか、それとも思いきった傷がひとつだけかによって、事情がちがう。

精神科医は患者の態度や内面の告白、行動などによってその精神状態や欲求を判断する。検屍医は古傷や新しい傷、遺体に付着したもの、服装、死亡した場所などの情報をつなぎあわせて、そうしたことをあきらかにしなければならない。死者の声をきくのは特殊な技能であり、高度に専門化した訓練を要する。無言の言葉を理解するのは簡単ではないが、死者はけっしてうそはつかない。わかりにくかったりこちらがまちがって解釈したり、理解する前にその言葉が消えかけたりすることはある。しかしそれでもなお伝えたいことがあれば、その言葉が真実であることは疑いようがない。ときには骨だけになっても、彼らは語りつづける。

大量に酒をのんだあと車に乗り、またはけんかして死亡した場合は、遺体の血中アルコール濃度がそのことを物語る。ヘロインとコカインを常用していたなら、遺体に針のあとが残っているし、尿や眼の硝子体液《しょうしたいえき》、血液から代謝産物のモルヒネやベンゾイルエクゴニンが検出される。ひんぱんにアナルセックスをしたり性器に入れ墨をしたりボディピアスをしていた人、恋人が子供とセックスしたいという願望をもっていたため陰毛をそっていた女性。彼らは死んだあと、そのことをはっきり語る。十代の少年がより強烈なオーガズムをえるため、サド・マゾの服装をして輪なわで首の血管を圧迫しながらマスターベーションしていて、立っていた椅子からうっかりすべり落ちて首をつってしまったとしたら、彼はそのことを告白する。恥ずかしいと思ったりうそをついたりするのは、残されたものだけだ。

死者はときに信じられないようなことを語る。それを知ると驚いたり、痛々しい思いにかられたりせずにいられない。ある青年は死のうと思いつめ、石弓で胸を射たが死にきれないとわかると、矢をひきぬいて再び自らを射た。怒り。自暴自棄。絶望。あともどりできない。死にたいがまず家族旅行の計画をたて、家族が困らないように葬式の段取りを書いておこう。死にたいけれど、きれいな姿を見せたいからお化粧をして髪をセットし、顔に傷がつかないよう心臓を撃ちぬこう。夫を若い女にとられた妻はそう考える。

がみがみ女め、おまえの小言はもう聞きあきたから口を撃ってやる。尻軽女め、おまえの死体を風呂桶になげこんで、酸をぶっかけてやる。おれの目をぬすんで浮気した罰だ。おまえに見つめられるのはうんざりだから、その目を突きさしてやる。エイリアンに体の血をとられてしまうから、あんたの血をとってのませてもらうよ。おまえの死体をばらばらにして煮て、トイレに流してしまえばだれにもわからないだろう。あばずれめ、おれのハーレーのうしろに乗れ。モーテルへつれていってカミソリとはさみで何百回も切って、おまえがゆっくり死ぬのを見てやる。ギャングの仲間にいれてもらうにはそうする必要があるんだ。

メアリ・アン・ニコルズの傷から、切り裂きジャックが彼女に抵抗されたり声をあげられたりしたくないと思っていたことがわかる。彼は最初から被害者の首から下へナイフを移動させて、むきだしにしたその体を傷つけるつもりだった。しかしまだそれには慣れておらず、ある程度までしかできなかった。はらわたや他の臓器をとりだしはしなかった。切り傷もさほど深くない。秘密の部屋にひとりでいるときに性的な空想や感慨にふけるために、被害者の体の一部を戦利品やお守りとしてもち去ることもしなかった。おそらくこの犯行で切り裂きジャックははじめて被害者を切り裂いたのだろう。彼はそのことについて考え、それがどんな気持ちだったか、もっとそれを味わいたいかどうか、自問する必要があった。

「もっと血を流してやりたい」と、切り裂きジャックは十月五日に書いている。

十一月二日の手紙には、「もっとやりたいぜ」とある。

切り裂きジャックが公然とそのいまわしい名前で自分を呼びはじめたのは、それから一週間たらずのことだ。ある意味ですじがとおっている。メアリ・アン・ニコルズを殺すまでは、まだ切り裂いてはいなかったのだから。シッカートが芸名を「ミスター・ニーモ《ノーボディ》」としたことには理由があったが、それは謙虚な気持ちからではなかった。彼が「切り裂きジャック《ジャック・ザ・リッパー》」という名前を選んだことにも、理由があったにちがいないが、それは推測するしかない。

「ジャック」は船乗りや男をあらわすスラングで、「リッパー」は「切り裂く人」という意味だ。しかしウォルター・シッカートはあらゆることをあいまいにするのが得意だった。わたしは一七五五年から一九〇六年までに発行された十数冊の辞書や百科事典で、これらの言葉の定義をしらべた。シッカートはシェイクスピアの作品から

「切り裂きジャック」という名前を思いついたのかもしれない。ヘレナ・シッカートが自伝に書いているように、ヘレナと兄弟たちは子供のころ「シェイクスピアが大好き」だった。またシッカートは俳優だったのでシェイクスピアの作品のなかの長いフレーズを暗記しており、会話のなかで使うことができた。年をとってからもよくディナーパーティーなどで立ちあがって、シェイクスピアの独白を暗誦した。「ジャック」という言葉は『コリオレーナス』、『ヴェニスの商人』、『シンベリーン』にでてくる。シェイクスピアは「リッパー」という言葉は使っていないが、『ジョン王』と『マクベス』にそのバリエーションが見られる。

「ジャック」の定義にはつぎのようなものがある。ブーツ。ジョンの愛称——生意気なやつという軽蔑的な意味で使われる。主人のブーツをぬがせる従者。悲鳴。男性。アメリカのスラングでよそもの、のろま。「よろず屋」のような何でもできるぬけめのない男。「リッパー」の定義には、切り裂く人、破る人、切る人、スマートな装いのすてきな人、足の速い優秀な馬、すばらしい芝居または役などがある。

切り裂きジャックはよそものであり、何でもできるぬけめのない男だった。彼は「うんざりするほどけんか」した。彼は「だれも太刀打ちできない大将」であり、「おまえらの愛する母国イギリスの子宮」をひき裂いた。シッカートは心の奥底で、自分は母親のひき裂かれた子宮から生まれたと感じていたのかもしれない。母親の胎内でおこったことは不当で、彼のせいではなかった。シッカートはそれに対して復讐したのだ。

11　夏の夜

舗道にたおれているのを発見されたメアリ・アン・ニコルズは、両目を見開いていた。ブルズアイ・ランタンのぼんやりした光にてらされた顔は土気色《つちけ》で、何も見えないはずのその目は、闇を見つめていた。

チャールズ・ダーウィンの『情動の表出』によると、大きく見開いた目は「恐怖」、それも「極度の恐怖」や「拷問によるおそろしい苦痛」にともなうものだという。人は最後に抱いた感情を顔にうかべて死ぬと昔からいわれているが、これは誤りだ。しかし象徴的にいえば、メアリ・アンの表情は彼女が死ぬ前に最後に見たもの――自分の体を切り裂いている殺人者の黒い影――をとらえているように思える。警察の報告書にも被害者の見開いた目のことがしるされている。それは警官たちがホワイトチャペルの殺人犯のことを、怪物や幽霊のように思いはじめていたことを物語っている。

アバーライン警部の言葉によると、その犯人は「まったく何の手がかり」も残さなかった。

のどをかき切られ、目を見開いて虚空《こくう》を見つめている女性の姿は、見たものに忘れられない印象を残すだろう。シッカートもそれを忘れなかったはずだ。命が絶える瞬間のその凝視を、彼はだれにもましてよくおぼえていたにちがいない。もし日付が正しいとすれば、彼は一九〇三年に目を見開いて凝視している女性のスケッチを描いている。死んでいるように見えるその女性の首のまわりには、不可解な黒いすじがついている。このスケッチには「二つの習作。ヴェニスの女の頭部」という、無味乾燥な題がつけられている。三年後、シッカートは裸の女性が鉄のベッドに手足をなげだして、グロテスクな姿で横たわっている絵を制作し、「ニュイ・デテ」、つまり「夏の夜」という題をつけた。メアリ・アン・ニコルズが殺されたのは夏の夜だ。先のスケッチの女性とこの絵の女性はそっくりで、その顔は死体置場で救貧院の入居者のマンとハットフィールドによって「洗われた」あと、桶にいれられたメアリ・アン・ニコルズの写真の顔に似ている。

死体置場の写真は、大きな箱型カメラで撮影された。このカメラはまっすぐ前方にあるものしか撮ることができなかった。カメラを下方やななめに向けられないため、警察が撮影する必要のある遺体は、立たせるか、壁にもたせかけるしかなかった。フックや釘、木釘にはだかの遺体の首のところをかけて、壁につるすこともあった。後の被害者、キャサリン・エドウズの写真をよく見ると、はだかの遺体が壁につりさげられ、片足がかすかに床についているのがわかる。

被害者の尊厳を無視した、こうした陰惨な写真は身元を確定するために撮影されたもので、一般には公開されなかった。したがって現場か死体置場で見ていないかぎり、メアリ・アン・ニコルズの遺体がどんな様相だったか知っているはずはない。もしシッカートの「ヴェニスの女」のスケッチが実際にメアリ・アン・ニコルズの目を見開いた死に顔を描いたものなら、彼は現場にいたか警察の報告書を手にいれたとしか考えられない。新聞にのっていればべつだが、わたしの知るかぎりではそうした記事はない。かりにシッカートが死体置場でメアリ・アンの遺体を見たのだとしても、そのときにはもう写真の顔と同様に、目はとじられていたはずだ。身元を確認できそうな人や検視陪審員に見せるために写真を撮ったときには、傷は縫いあわされ、切り裂かれたのどが見えないよう遺体はあごのところまで布でおおわれていた。

残念なことに、切り裂きジャックの被害者の遺体写真はほとんど残っていない。公文書館に保存されているものは小さくて解像度が低く、拡大するといっそう見えにくくなる。科学捜査用の画像強調をおこなうと多少よくなるが、大幅には改善されない。当時──そして将来も──切り裂きジャックの犯行とは見なされなかった事件については最初から写真を撮っていないし、撮影していたとしても一枚も残っていない。そのころは遺体が屋内で発見されないかぎり、現場写真は撮らないのがふつうだった。屋内にあっても、警察がわざわざ重いカメラをとりにいくのは、よほど特殊な事件の場合だけだった。

今日の科学捜査では、各種の撮影装置を使ってさまざまな角度から何度も遺体を撮影する。だが切り裂きジャックによる連続殺人がおこったころは、警察はめったにカメラを使わなかった。死体置場や霊安室にカメラがそなえてあるのはもっとまれだった。夜間に写真を撮る技術はまだ開発されていなかった。そうしたさまざまな制限があったため、切り裂きジャックの犯罪に関する画像記録はわずかしかない。ただしウォルター・シッカートの作品集や、名のある美術館や個人のコレクションに展示されている彼の「殺人」やヌードの絵を見ることはできる。芸術的、学術的な分析はともかくとして、シッカートが描いた手足をのばして横たわったはだかの女性はみな体を切られ、死んでいるように見える。

はだかにしろ服を着ているにしろ、シッカートの絵に登場する女性の多くは首がむきだしで、そのまわりに黒い線がついている。まるでのどを切られているか、頭を切断されているかのようだ。のどのあたりの黒い部分が影や陰影をあらわしている場合もあるが、そうではないくっきりした濃い黒の線は何かよくわからない。装身具ではないことはたしかだ。シッカートが自分の見たものを描いたとすると、これらの線はいったい何をあらわしているのだろう？　さらになぞめいているのは、一九二一年に制作された「パトロール」という題の絵だ。描かれているのは目のとびだした婦人警官で、オープンネックの上着を着ており、首のまわりにはっきりした黒い線がついている。

この絵についての詳細は知られていない。シッカートは婦人警官の写真を見てこれを描いたらしい。たぶんバーミンガム警察のドロシー・ピートーだろう。彼女はこの絵を手にいれた後、ロンドンへ移って首都警察へはいり、のちにシッカートが描いたこの等身大の肖像画を警察へ寄贈した。首都警察のある文書係が遠まわしに語ったところでは、この絵は価値のあるものにはちがいないが、署員たち、とくに女性の評判はよくないという。わたしが見たとき、「パトロール」はかぎをかけた部屋にかけられ、チェーンで壁に固定されていた。この絵の扱いについて、みな頭を悩ませているようだった。意図的ではないとはいえ、これも切り裂きジャックの「は、は」のひとつかもしれない。スコットランド・ヤードが、自分たちのついにつかまえることのできなかった、史上もっとも悪名高い殺人鬼の手になる絵を所有しているのだから。

「パトロール」は女性と警察活動をたたえたものではない。おそらくこれもシッカートのとらえにくい、おそろしい空想の発露なのだろう。婦人警官のおびえた表情は、彼女が職業柄もつはずの力とそぐわない。いかにもシッカートの作品らしく、この絵も陰うつな雰囲気で、何かよからぬことがおこりそうな気配が感じられる。カンバスに描かれ、木の額におさめられた一八九×一一七センチの「パトロール」は、いわば美術界の明るいギャラリーのなかにひそむ暗い鏡だ。この絵について言及したものやその複製は、ほとんど見当たらない。

シッカートの絵の一部は、彼が使っていた数多くの秘密の部屋と同様、あまり人に知られていない。それらを公にしないことをきめたのは、絵の所有者だけではないだろう。どの作品を展示するかについては、シッカート自身の意向が尊重された。「切り裂きジャックの寝室」のように、彼が絵を友人に贈った場合でも、それを展覧会に貸しだすように依頼することも、人目にふれさせないようにたのむこともできた。おそらく彼の作品のあるものには、「できるものならつかまえてごらん」というからかいの気持ちがこめられているのだろう。シッカートは、大胆にも切り裂きジャックの犯行を暗示するような場面を描きはしたが、それをおおぜいの目にふれさせるほど無謀ではなかった。しかし捜索がはじまったいま、こうした魅力にとぼしい作品がつぎつぎに見つかっている。

ごく最近、目録にのっていないシッカートのスケッチが発見された。制作されたのは一九二〇年だが、一八八八年に彼がミュージックホールへ足しげく通っていたころの記憶にもとづいて描かれたと思われる。あごひげをはやした男性が売春婦と話している場面だ。男性はこちらになかば背を向けているが、ペニスを露出し、右手にナイフをもっているようだ。下のほうにははらわたをぬかれ、腕を切断されたように見える女性が横たわっている。シッカートが自分の犯行の前後を描いたかのようだ。美術史家のドクター・ロビンスによると、このスケッチが注目されなかったのは、これまで美術史家や文書館の管理者、シッカート研究者たちは、彼の作品にこうした暴力的な傾向を見つけようとしていなかったからだという。

しかしさがすべきものがあきらかになるにつれ、思いがけないものが見つかりはじめた。そのひとつは新聞記事だ。切り裂きジャックの殺人についての報道に興味のある人は、たいてい公文書やマイクロフィルムの複製を見る。この調査をはじめたとき、わたしは「タイムズ」紙の報道を調べることにきめた。幸いなことに一八八八年から一九九一年までの新聞の原物を見つけることができた。その時代の新聞紙は綿繊維の含有量がきわめて多いため、わたしの所有している「タイムズ」紙も新しいもののようにアイロンをかけたり、ぬいあわせたり、たばねたりすることができる。百年以上も前の新聞がしっかりした状態で残っていて、安心してページをめくることができるのには驚く。わたしはかつて新聞記者だったので、ひとつの記事の裏にはいくつもの物語があり、できるだけ多くの報道に接しないと丸ごとの真実には近づけないことを知っている。当時の主要な新聞にとりあげられている切り裂きジャック関係の記事は少なくはない。だが「サンデー・ディスパッチ」紙のような、あまり知られていない新聞の目立たない記事は、見すごされがちだ。

ある日、ロンドンのチェルシーにあるなじみの古本屋から連絡があった。「サンデー・ディスパッチ」紙にのった切り裂きジャック事件やその関連の記事が、ほぼ全部スクラップされている台帳をオークションで手にいれたという。ぞんざいに切り抜かれ、いいかげんに貼りつけられた記事は、一八八八年八月十二日から一八八九年九月二十九日までのものだ。その台帳についてはわからないことだらけだ。そのなかの何十枚ものページがカミソリで切りとられている。そこにはどんな記事が貼られていたのか、好奇心をそそられる。切り抜きのそばには、青か黒のインク、またはグレーか青、紫のえんぴつで興味深い注釈が書きこまれている。いったいだれが、何のためにわざわざこんなことをしたのだろう？　一世紀以上のあいだ、この台帳はどこにあったのだろう？

注釈から推測すると、それを書いた人は切り裂きジャックの犯行についてよく知っており、警察の捜査にとても興味をもっていたようだ。この台帳を入手した当初は、切り裂きジャック自身がこれを所有していたのではないかという淡い期待を抱いた。記事を切りぬいた人は、警察が何を知っているかに注目し、注釈でそれに同意したり異論をとなえたりしている。不正確だとして、線で消されている箇所もある。記事のある部分のわきに、「そうだ！　そのとおり」、「納得できない」、「まったく納得できない」、「重要。この女性をさがすこと」などというコメントが走り書きされている。いちばん奇妙なのは、「女性七男性四」という書きこみだ。アンダーラインがひかれているところもある。とくにめだつのは、被害者が最後にいっしょにいた男についての目撃者の証言だ。

この台帳の所有者は素人探偵か警察官、または新聞記者だったのだろうか？　答えは永久にわからないだろう。アバーラインやスワンソンなど、スコットランド・ヤードの主要な捜査官が書いた報告書を読んだが、彼らの筆跡は台帳のものとはちがっている。台帳の筆跡は小さく、非常にずさんだ。その時代には筆記文字は優美とはいかないまでもきちんとしているのがふつうだったから、これはめずらしい。警察官はみな整った、場合によっては美しい筆跡で書いている。台帳に書かれた文字は、ときによっては判読不能なほど乱暴なシッカートの筆跡に似ていなくもない。彼の筆跡はふつうのイギリス人とはかなりちがっている。早熟なシッカートは独学で読み書きをおぼえたため、文字を美しく書く術《すべ》を学んでいない。もっとも妹のヘレナによると、気がむくと彼も「美しい字」を書くことができたという。

台帳はシッカートのものだったのだろうか？　たぶんちがうだろう。だれが所有していたのかわからないが、「ディスパッチ」紙の記事には他の報道にはない視点が見られる。その犯罪記事は匿名の記者によって書かれている。当時は署名記事を書く記者は女性記者と同じくらい少なかった。その記者は確かな目と旺盛な好奇心のもちぬしだったようだ。彼の見方や推理、疑問は、メアリ・アン・ニコルズ殺害などの事件に、新たな光をあてるものだ。警察はメアリ・アンがごろつき集団の犠牲になったものと考えている、と「ディスパッチ」紙は報じた。当時ロンドンでは凶暴な若者が徒党を組んで街をうろつき、力の弱い、貧しい人々をえじきにしていた。こうした悪党どもは金をうばうつもりでおそった売春婦が金をもっていないと、相手に危害を加えた。

メアリ・アンもマーサ・タブランも、遺体が発見されたのとはべつのところで殺されたのだと警察は主張した。ふたりの遺体は「早朝、通りのわきの溝」に放置されていたが、だれも悲鳴をきいていない。したがってほかの場所で、おそらくごろつきのグループに殺され、遺体がそこに捨てられたというのだ。「ディスパッチ」紙の匿名記者は、犯人が前からではなく後ろからメアリ・アン・ニコルズをおそったのではないかとルウェリン医師にきいたようだ。もし後ろからおそったのなら、犯人はルウェリン医師が言うように左ききではなく、右ききということになる。

この記者の説明によると、もし犯人が被害者ののどを切ったときに彼女の後ろに立っており、傷のもっとも深い部分が首の左側で、右へいくほど傷が浅くなっているなら、犯人は右手にナイフをもっていたはずだ。傷は実際にそうなっていた。ルウェリン医師の推論は誤りで、記者のほうが正しかったと思われる。シッカートは右ききだった。自画像のひとつでは左手に絵筆をもっているように見えるが、鏡にうつした自分を描いたためにそうなっただけだ。

ルウェリン医師は記者の意見を無視したかもしれないが、本当は注意をはらうべきだった。「ディスパッチ」紙のその記者が犯罪担当だったとしたら、のどを切られた被害者をルウェリン医師よりも数多く見ていただろう。のどを切るのは殺人の方法としてめずらしくはなかった。とくに家庭内暴力ではよく見られた。自殺の方法としてもまれではなかったが、自分ののどを切る人はナイフではなくカミソリを使うことが多かったし、椎骨に達するまで切ることはめったになかった。

王立ロンドン病院には十九世紀の入退院記録がまだ保管されている。それを見ると一八八〇年代と九〇年代にはどんな病気やけがが多かったかがわかる。この病院が担当していたのはイースト・エンドだけで、病院へ運ばれてきたとき患者は生きていると見なされたことを念頭においておく必要がある。のどを切って主要な血管が切断された場合は、病院へ運ばれるまで生きてはおらず、死体置場へ直行したはずだ。そうした人は入退院記録簿には記載されていない。

一八八四年から一八九〇年までの殺人事件で記録されているもののうち、切り裂きジャックの犯行かもしれないと後に見なされたものは一件しかない。スロール・ストリートに住んでいた四十五歳のエマ・スミスが殺害された事件がそれだ。本人が語ったところでは、一八八八年四月二日に若者のグループにおそわれ、なぐられて片耳をほとんどもぎとられ、棒のようなものを膣につっこまれた。彼女は酔っていたがなんとか歩いて家へ帰り、友人たちがロンドン病院へつれていった。彼女は入院したが、腹膜炎をおこして二日後に死亡した。

リッパロロジー（注：切り裂きジャック研究）では、切り裂きジャックの犯行がいつからはじまり、いつ終わったかについてさまざまな説がある。彼はイースト・エンドを殺人の舞台に選ぶことが多かったようなので、ロンドン病院の記録は貴重だ。現場で死亡した切り裂きジャックの被害者についての記載はなくても、当時の人々が自分や他人を傷つけた理由とその方法がわかると参考になるからだ。切り裂きジャックによる殺人の可能性があるのに、「のどを切られた」患者があやまって自殺と見なされたケースもあるのではと気になった。

残念ながら、病院の記録にあるのは患者の名前と年齢、住所、場合によっては職業、病気やけがの種類、退院できたときはその日にちだけだった。ロンドン病院の記録を調べたもうひとつの理由は、一八八八年末からはじまった切り裂きジャックの一連の凶行の前と後とその最中では、暴力死の件数や種類に統計的な変化があるかどうかを見るためだった。はっきりした変化はない、というのがその答えだ。しかし記録からはその時代のこと、とくにイースト・エンドの悲惨な状況と、そこで変死した人々が貧困と絶望のなかで生きていたことがうかがえる。

ある時期には、自殺の方法としては毒をのむのが一般的だった。毒物の種類は多く、どれも容易に手にはいった。一八八四年から一八九〇年までのあいだにイースト・エンドの人々が自殺するのに使った薬物は、シュウ酸、アヘンチンキ、アヘン、塩酸、ベラドンナエキス、アンモニア炭酸塩、硝酸、石炭酸、鉛、アルコール、テレビン油、樟脳《しょうのう》クロロホルム、亜鉛、ストリキニーネなどだ。服毒自殺のほかに、人々は身投げする、銃で撃つ、首をつる、窓からとびおりるなどの方法で自らの命を絶った。自殺するつもりはなかったのに、下宿屋や簡易宿泊所が火事になり、窓からとびおりて死んだ人もいる。

人が死亡、あるいは瀕死《ひんし》の重傷をおっても、それについてあまり調べないことも多かっただろう。自殺と思われたものが実は殺人だったケースもあったかもしれない。一八八六年の九月十二日、ホワイトチャペルのマルベリー・ストリートに住む二十三歳のエスター・ゴールドスタインは、のどを切って自殺をはかったとしてロンドン病院へ運ばれた。自殺と見なされた理由は不明だが、彼女が自分自身で首の「甲状軟

「骨」を切ったとは考えにくい。皮膚の表面に近い主要な血管を切るだけで、命を絶つには十分だ。筋肉や軟骨まで切るのはもっと力を要するので、殺人に多い。

エスター・ゴールドスタインが殺されたのだとしても、切り裂きジャックの被害者とはかぎらない。たぶんそうではなかったろう。切り裂きジャックが漫然とイースト・エンドの女性を殺害していたとは思えない。彼はドラマチックに登場し、何年間も犯行をつづけた。切り裂きジャックは自分の犯罪が世間に知られることを望んだ。しかし最初の殺人をおかしたのがいつかは、はっきりしない。

切り裂きジャックの殺人がはじまった一八八八年に、イースト・エンドのべつの女性四人がのどを切って死亡している。四人とも自殺と見なされた。王立ロンドン病院の古びた記録簿を調べはじめたときは、のどを切って自殺したと見なされた何人もの女性は、切り裂きジャックの被害者ではないかと思った。けれども調査をすすめるうちに、貧しい人たちが銃を入手できなかったその時代には、のどを切るのはめずらしいことではなかったとわかった。

12

若く美しい人

イースト・エンドの住人は、感染症や結核、胸膜炎、気腫、塵肺《じんぱい》などの病気により、この世の苦しみから解放された。多くの大人と子供が、仕事場や家庭での事故によるやけどで命を落とした。

飢え、コレラ、百日咳、がんも命をうばった。親も子供も栄養不良で体が弱っているうえ、害虫のはびこる不潔な環境で生活しているため免疫力がなく、ふつうなら治る病気も悪化した。かぜや流感が気管支炎や肺炎、そして死へとつながった。幼児はイースト・エンドでは長く生きられないことが多かった。生きながらえて苦しい思いをしている人々はロンドン病院を毛嫌いし、できるだけ避けようとした。病院へいくとひどくなる。医者にさわられると死ぬ。こうした考えは、あながち誤りではなかった。膿瘍《のうよう》のできた足指を切断したために骨髄炎をおこしたり、切り傷を縫合したために感染症にかかったりして死ぬこともあった。

自殺と見なされて入院した人たちの記録を見ると、一八八四年には男性五人がのどを切り、女性四人がのどを、ふたりが手首を切っている。一八八五年には未遂に終わったものもふくめて女性五人が服毒、ひとりが入水により自殺をはかり、男性八人がのどを切り、ひとりが銃で自分を撃ち、もうひとりが首をつっている。一八八六年には女性五人がのどを切って自殺しようとし、女性十二人と男性七人が服毒し、男性十二人がのどを切ったり、自分を刺したり撃ったりしている。

本当に自殺した人と、殺された可能性のある人を区別することは不可能だ。当人がイースト・エンドの「ごみため」の住人で、その死が目撃されていれば、警察はたいてい目撃者の証言をうのみにした。酔っぱらった暴力亭主が火のついた石油ランプを妻に投げつけても、大やけどをおった妻は息をひきとる前に、すべては自分に非があると警察に語る。夫は罪に問われず、妻の死は事故として処理される。

よほど明白な事件でないかぎり、死の様態や死因さえも正確に把握されるとはかぎらなかった。女性が室内でのどを切られていてそばに凶器があれば、警察は自殺と見なす。こうした判断や、ルウェリン医師が善意でおこなった推測は捜査をまどわす——そもそも捜査がおこなわれればだが——だけではない。傷や死因についての診断や決定が誤っていると、きちんとした裁判ができない。ルウェリン医師の時代には法医学がまだ確立されていなかった。彼がはっきりした根拠もなく早急に結論をだしたのは、不注意よりもむしろそのためだろう。

メアリ・アンの遺体がもちあげられ、手押し車にのせられたあと舗道を調べれば、ファイル巡査が見たような血だまりや血のかたまりに気づいたはずだ。血液や血のまじった液体が溝に流れこんでいるのも見えただろう。視界が悪かったので、その液体をすくいとってまずそれが血液かどうか、つぎに血清《けっせい》が分離しているかどうかを調べるべきだった。血清は血液が凝固するときに出るから、それによって死亡時刻についての手がかりがえられたはずだ。

当時は死体検分のときに現場の外気温や遺体の体温ははからないことが多かったが、ルウェリン医師は死後硬直の状態には目をとめるべきだった。これは筋肉の収縮に必要なアデノシン三燐酸（ＡＴＰ）を体がつくりださなくなったためにおこる現象だ。また死斑《しはん》がでているかどうかも調べるべきだった。死斑は血液が循環しなくなり、引力にしたがって体の特定の部分にたまることによって生じる。たとえば首をつった場合、遺体が三十分もぶらさがっていると、下半身が赤紫色にかわる。死斑は八時間以上たつと消えなくなる。ルウェリン医師が死斑を調べていれば、メアリ・アン・ニコルズの死亡時刻だけでなく、殺されたあと遺体が動かされたかどうかも判断できただろう。

何年も前のある事件のことを思いだす。警察が現場へいくと、アイロン台のように硬直した遺体がひじかけ椅子にもたせかけてあった。その家の人たちは彼が夜中にベッドのなかで死んだことを知られたくなかったため、遺体を椅子に運んだのだ。しかし死後硬直はそれがうそであることを告げた。検屍局で働いていたころに出会ったべつのケースでは、きちんと服を着た男性の遺体がモルグに運びこまれた。床のうえで死んでいたことになっていたが、それがうそであることを死斑があかした。血液が下半身にたまり、おしりにはトイレのシートのあとがくっきりついていた。心臓が不整脈をおこして死んだあと、そのまま何時間もシートにすわっていたためだ。

ひとつの死後変化だけで死亡時刻を推定するのは、たったひとつの症状から病気の診断をくだすようなものだ。死亡時刻にかかわる要素は数多くあり、それぞれが互いに影響しあう。死後硬直は遺体の筋肉量、気温、出血量、死ぬ直前の活動によってすみかたがちがう。気温十度の屋外で失血死したやせた女性のはだかの遺体は、同じ女性があたたかい室内で絞殺された場合にくらべて、体温が下がるのははやく、硬直するのはおそくなる。

外気温、体格、衣服、遺体の場所、死因など、いくつもの要因がさまざまなことを語るため、ときには専門家でも混乱し、判断を誤る。死斑は新しい打撲傷とまちがえられることがある。ルウェリン医師の時代にはとくにそうしたケースが多かった。何らかの物体が体に押しつけられている場合、たとえばひっくりかえった椅子の一部が手首と床のあいだにはさまっていると、遺体のその部分の血の気がうせ、物体の形が白く残る。これが「圧痕《あっこん》」とまちがえられると、他殺ではない死が犯罪と見なされることもある。

切り裂きジャック事件ではどれぐらい事実がねじまげられ、どんな証拠が失われたかわからない。だが犯人の正体とその日常生活の手がかりになる、かすかな証拠は残されていたにちがいない。それらは遺体の血や地面に付着していただろう。犯人は毛、繊維、被害者の血などの証拠を体につけてもち去っていたはずだ。一八八八年には警察も医師も、毛や繊維といった顕微鏡で調べなければならないような微細な証拠をさがす努力はしなかった。指紋は「指跡」と呼ばれており、人間が窓ガラスなどにふれたことを示すものにすぎなかった。指の隆起線がはっきりしている顕在（目で見える）指紋が見つかっても、たいして役にたたなかった。スコットランド・ヤードが中央指紋局《セントラル・フィンガープリント・ビューロー》を設立したのは、一九〇一年になってからだ。

その五年前の一八九六年、十月十四日に警察に届いた切り裂きジャックの手紙には、赤インクでつけられた鮮明な指紋がふたつ見られる。手紙は赤インキで書かれており、指紋は左手のひとさし指と中指のものらしい。隆線は比較できるほどはっきりしている。これらはわざとつけたようにも見える。シッカートのことだから最新の犯罪捜査技術についてよく知っていただろう。指紋を残したのも、「は、は」というあざけりの気持ちのあらわれかもしれない。

警察は指紋を彼と結びつけるはずはなかった。そもそも指紋に気づいた形跡もない。シッカートの死後六十年たったいまでも、それらをシッカートの指紋とくらべるのは無理なようだ。いまのところ彼の指紋は存在しない。火葬されたときに消滅している。これまでに見つかったのは、シッカートが制作したエッチングの後ろについていた、インクによるかすかな指紋だけだ。比較できるほど隆線がはっきりしていないし、シッカートではなく印刷工の指紋の可能性もある。

切り裂きジャックが殺人をはじめる何年も前から指紋のことは知られていた。人間の指のはらについた隆線は、ものをしっかり握るのに役だつ。これは各人に固有のものので、一卵性双生児も指紋はことなる。約三千年前、中国では法律関係書類の「署名」に指紋を使っていたが、これはたんなる儀式だったのか、識別のためだったのかはわからない。インドでは一八七〇年にすでに「契約書の署名」に指紋が使われていた。七年後、アメリカの顕微鏡研究者が、指紋を個人の識別に用いることを雑誌記事で提案している。一八八〇年には、日本の病院に勤務していたスコットランド人医師が同じことを主張した。しかし科学が大きな前進をとげる場合はつねにそうだが――DNAもその一例――指紋がすぐに理解され、とりいれられ、法廷で証拠として受けいれられたわけではない。

ヴィクトリア朝には、人を識別してその人物を犯罪と結びつけるには、人体測定学という「科学」が用いられていた。これは一八七九年にフランスの犯罪学者アルフォンス・ベルティヨンが開発した方法だ。彼の説によると、人間は顔の特徴と、身長、腕の長さ、頭の幅、左足の長さなど十一項目にわたる身体の寸法によって識別、分類できるという。骨格は人によってまったくちがうとベルティヨンは主張し、人体測定学は二十世紀のはじめまで犯罪者や容疑者を分類するのに使われていた。

人体測定学は正しくないばかりか、危険でもあった。身体的特徴のうえになりたっているが、それは従来考えられていたほど固有のものではない。このえせ科学は人の外見を重視しすぎる。警察はこれを採用することで、意識的にではないにせよ人相学というべつのえせ科学を事実として受けいれることになった。犯罪性と道徳性と知性は人間の身体と顔にあらわれるというのが人相学の説だ。それによると泥棒はおおむね「弱々しく」、暴力的な男は「力強く」、「健康」。犯罪者はみな「指が長く」、ほとんどの女性犯罪者は「醜いとはいえないものの、器量がよくない」。レイプ犯はたいてい「ブロンド」で、小児性愛者は「きゃしゃ」で「子供っぽく」見える。

二十一世紀に住むわたしたちでさえ、サイコパスの殺人犯がときによっては魅力的で、人好きがして、聡明であるという事実を受けいれるのはむずかしい。それを思うと、ヴィクトリア朝の人々にとってそれがどんなに受けいれがたいことだったか想像できるだろう。そのころの標準的な犯罪学の本には、人体測定学と人相学についてのくわしい記述があった。警官は骨格や顔の特徴によって容疑者を識別し、ある種の「人相」を特定の行動と結びつけるよう教えられていた。

切り裂きジャックによる連続殺人がおこっているときに、ウォルター・シッカートが容疑者と見なされることはありえなかった。「とても魅力的」とドガに評された「若く美しいシッカート」が、女性ののどを切ってその腹を切り裂くようなまねをするはずがないとみな考えただろう。最近でさえ、シッカートのような画家に暴力的な性癖があったとしても、創作活動によって昇華させるから実際に行動にうつすことはないという意見をきいたことがある。

切り裂きジャック事件の捜査で、警察は被害者と最後にいっしょにいた男の人相についての目撃者の証言を重視した。捜査報告書を見ると、髪や肌の色、身長などに注意がむけられていることがわかる。変装によってこうした特徴は変えられるのに、それは無視されている。身長は姿勢、帽子、靴によって変わるだけでなく、「ごまかす」こともできる。俳優は丈の高い帽子をかぶったり、かかとを高くしたとくべつな靴をはいたりする。たっぷりしたコートやケープをはおり、肩を丸めてひざをすこしまげたり、帽子をまぶかにかぶることで、実際の身長より何センチも高く、または低く見せることができる。

医事法学や法医学についての初期の出版物を見ると、すでに多くのことが知られていたが、実際の犯罪捜査にはそのごく一部しか使われていなかったことがわかる。一八八八年には、まだ物的証拠よりも目撃者の証言に重きがおかれていた。警察が法科学について多少知っていたとしても、証拠を検査する実際的な方法がなかった。スコットランド・ヤードを統轄する内務省には、当時まだ科学捜査機関がなかった。

ルウェリンのような医者は、おそらく顕微鏡をさわったこともなかっただろう。毛髪や骨、血液が人間のものかどうかを調べる方法があることも知らなかったかもしれない。すでに二百年以上前に、ロバート・フックが毛や繊維、野菜くずやハチの刺し傷の顕微鏡的特性について書いている。だが殺人事件の捜査官やふつうの医者にとって、顕微鏡検査はロケット科学や天文学と同様、手の届かないものに思えたにちがいない。

ルウェリン医師はロンドン病院医科大学を卒業し、免許を受けた医者として十三年間仕事をしていた。彼は開業医で、その診療所はメアリ・アン・ニコルズの殺害現場から三百メートルたらずのところにあった。遺体が発見されたとき、警察は名指しでルウェリン医師を呼びよせるほど彼をよく知っていた。だがルウェリン医師がスコットランド・ヤードの管区医だったと考える理由はない。つまり彼は警察の特定の管区、この場合はホワイトチャペルを担当するH管区の仕事をパートタイムでうけおう医者ではなかった。

警察官の診療をおこなうのが管区医の仕事だった。無料で医者にかかれるのは、首都警察に勤務することの恩恵のひとつだった。管区医は囚人の診察をおこなったり、地元の刑務所へいって拘束されている市民が酔っているか病気なのか、「精気」が過剰、つまり興奮状態やヒステリー状態かを判断する。一八八〇年代後半には、管区医は変死体が発見された現場にも呼ばれるようになった。一件につき一ポンド一シリング、検屍をおこなった場合は二ポンド二シリングの報酬が払われる。しかしそうした医者が顕微鏡による検査、傷や毒物、死体現象などについてよく知っていたわけではない。

おそらく警察は地元の医者として、ルウェリン医師に気軽に声をかけることができたのだろう。彼がホワイトチャペルで開業したのは、人道的な理由からだったのかもしれない。彼は英国婦人科学会の特別会員だったので、ときならぬ時間に呼びだされることにはなれていたにちがいない。八月三十一日のくもったひんやりした明け方、警官におこされたルウェリンは急いで現場へかけつけただろう。彼にできたのは、被害者が本当に死んでいることを確認し、経験にもとづいて死亡時刻を推定して警察に伝えることぐらいだった。

遺体の腹部のあたりが緑色になりかけていて、腐敗がはじまっていることが明白な場合はべつとして、当時の殺人捜査では検屍解剖はすくなくとも二十四時間たってからおこなうのがふつうだった。被害者がまだ生きていて、メスをいれられたときに「息をふきかえす」可能性がないとはいえないという考えからだ。死んだと思われて生きたまま埋葬されることへの恐怖は、何百年も前からあった。お棺のなかで突然おきあがろうとした人たちの不気味な話が流布《るふ》していた。本気で心配し、自分のお墓にベルをつけ、ベルのひもが地面をとおって棺のなかまでつながるようにした人もいた。そういった話のなかには、屍姦《しかん》にかかわるものもあった。お棺に寝かされた女性とセックスした男性の話はそのひとつだ。彼女は死んではおらず、麻痺《まひ》していただけで意識はあったので、応じることができたのだという。

メアリ・アン・ニコルズ殺害に関する警察の報告書を見ると、ルウェリン医師は被害者の衣服、とくに売春婦の汚れたぼろぼろの服にはまったく関心をもっていなかったことがわかる。衣服は証拠ではなく、身元をつきとめるためのものにすぎなかった。被害者の着ていたものから、その身元に気づく人がいるかもしれない。一八〇〇年代後半には、人々は身分証明書のようなものを携帯していなかった。パスポートやビザはべつだが、それをもっている人はすくなかった。イギリス人が欧州大陸へ旅行するときには、どちらも必要なかったからだ。通りで発見され死体置場へ運ばれる遺体は、地元の人たちや警察の知っている人間でないかぎり、身元はわからなかった。身元が不明なまま、あるいは他人とまちがえられて埋葬された気の毒な人たちがおおぜいいるにちがいない。だれかを殺してその身元を隠したり、自分が死んだように偽装したりするのは、さほどむずかしくなかっただろう。切り裂きジャック事件の捜査のあいだ、人間の血と、鳥や魚や哺乳動物の血は区別されなかった。血が遺体かそのそば、または凶器についているのでないかぎり、警察はそれが事件に関係したものか、馬や羊、牛の血なのか特定できなかった。一八八〇年代には、ホワイトチャペルの屠場の近くにある通りは動物の血や内臓で汚れており、服や手に血をつけて歩いているものも多かった。

ルウェリン医師は、メアリ・アン・ニコルズ殺害事件に関するほとんどの事柄をまちがって解釈した。それでも彼はかぎられた訓練と当時の乏しい知識で最善をつくしたのだろう。現代ならメアリ・アン・ニコルズ殺害事件の捜査はどんなふうにおこなわれるか、考えてみるのも一興だ。事件がおこったのがバージニア州だと仮定しよう。わたしがかつてそこで仕事をし、いまも助言を受けているからというわけではなく、アメリカでも指折りのすぐれた検屍制度があるからだ。

バージニアの検屍局では、州内の四つの支局のそれぞれに法病理医がいる。彼らは病理学のほかに、副専門として法病理学の訓練も受けた医者だ。その訓練は大学卒業後、十年間にわたっておこなわれる。法学の学位もとろうと思えば、さらにもう三年間の訓練が必要だ。検屍をおこなうのは法病理学者だが、突然死や不測死、暴力死の現場へ出むくのは検屍官だ。検屍官はパートタイムで病理医や警察に協力する医者で、専門分野はさまざまだ。

もしリース・ラルフ・ルウェリン医師がバージニア州に雇われていたとしたら、開業するかたわら、パートタイムで検屍官の仕事をしていただろう。四つの支局のどこに所属するかは、住んでいる場所による。メアリ・アン・ニコルズがいま殺害されたとすると、地元の警察がルウェリン医師を現場へ呼ぶ。現場は人が立ち入らないようテープがはられ、雨や風からも守られる。必要に応じてテントがはられ、まわりに強力なライトや発火筒がおかれる。警官が通りに立ち、やじうまを遠ざけ、車を迂回させる。

ルウェリン医師は被害者の直腸に傷がないことをたしかめてから、清潔な化学温度計をさしこんで体温を測定するだろう。つぎに外気の温度をはかる。手早く計算すれば、メアリ・アンがいつ殺されたのか、おおよその見当がつく。ふつうの状況で外気温が二十二度ぐらいだと、遺体の体温は最初の十二時間は一時間ごとに〇・七度下がっていく。さらに死斑と死後硬直の段階を見て、遺体の外景検査を慎重におこない、遺体のまわりや下にあるものも調べる。写真を撮り、運搬のとちゅうに失われたり損なわれたりするおそれのある、目に見える証拠を集める。警官にいろいろ質問して、メモをとる。それから遺体を自分の地区の検屍局かモルグへ送る。そこで法病理医が検屍をおこなう。現場で採集されたその他の証拠や写真はすべて、警察の刑事か鑑識が扱う。

今日イギリスでおこなわれている殺人捜査も、基本的には変わらない。ただし現場捜査と遺体の検査が終わったあと、検視法廷による審問がおこなわれ、さまざまな情報や証言が検視官と陪審に提示される。そして陪審の評決により、死が自然的原因によるものか、事故、自殺、または殺人かが決定される。バージニアでは、死の様態は検屍をおこなった法病理医が判断する。イギリスではそれをきめるのは陪審員だ。事件にまつわる法医学的事実がはっきりせず、陪審員の大半がそれを理解できないようなときは、困ったことになる。

しかし陪審員は法病理医より一歩ふみこんで、「不審」な事件を裁判にもちこむことができる。たとえばある女性が「溺死」したが、夫がその直前に彼女に多額の生命保険をかけていたという事件があった。医療関係者は個人的にどう思おうと、推論することは許されない。しかし陪審員にはそれができる。彼らは個室に集まって話しあい、女性は強欲な夫に殺されたのだろうと推測して、事件を法廷へ送ることができる。

アメリカの殺人捜査の方法は、イギリスのやりかたをそのままとりいれたものだ。しかし長年のあいだに、いくつもの州や郡、町がしだいに「検視官《コロナー》」に重きをおかなくなってきている。ほとんどの場合コロナーは医学の訓練を受けていない人間で、選挙によって選ばれ、人がどのように死んだか、犯罪がからんでいるかどうかを決定する権限をもつ。リッチモンドの検屍局で働きはじめたとき、ほかの地域でもバージニアと同じ検屍制度があるのだろうと思っていた。だがそうではないと知って困惑した。他の多くの州では、葬儀屋がコロナーに選出されている。これでは利害の衝突がおこりかねない。最悪の場合はこうした職にまったく不適任な人物がコロナーになり、悲嘆にくれている遺族が商売の対象になってしまうこともある。

アメリカにはいまだに殺人捜査の全国的な基準がない。一部の州や町では、あいかわらず選挙によって選ばれたコロナーがいる。彼らは現場へいくが、検屍はおこなわない。法病理医ではないし、医者でもないからだ。ロサンゼルスのように、地域によっては公選されたのではない法病理医の検屍局長が、コロナーと呼ばれている。

いくつかの州では、検屍官がいる町とコロナーのいる町が並存している。どちらもおかれていない地域もあり、そこでは地方自治体がわずかな報酬で外部の法病理医を呼び、法医学的な事件を扱ってもらっている。「巡回法病理医」とわたしが呼ぶこれらの人々は検屍をするには不適当な、葬儀場のような場所で仕事をしなければならないことが多い。おぼえているなかでもっともひどかったのはペンシルヴェニアの施設だ。検屍がおこなわれたのは、死産児や切断された体の部分の一時的な保管室として使われている、病院の「モルグ」だった。

13 大騒ぎ

イギリスで不審死の取り調べ制度がはじまったのは約八百年前、リチャード一世の時代で、王国のすべての州で役人が「刑事手続き《プリー・オブ・ザ・クラウン》」をおこなうことが定められた。これらの役人は「クラウナー」と呼ばれており、やがてその呼称が「コロナー」になった。

コロナーは州の自由保有権保有者によって選ばれた。騎士階級に属し、財力があって堅実であることが条件だ。むろん収税にあたって客観的で正直であることも必要だった。突然死の原因が殺人や自殺であるとわかれば、その死は国王にとって収入源となった。遺体を発見したものの対応が適切でない場合、たとえば報告せずに知らぬふりをしたようなときも同じだ。

遺体を見つけたら騒ぐのがふつうだが、もし騒がないと中世には罰せられたり罰金を科されたりする危険があった。だれかが急死したときは、ただちにコロナーに知らせなければならなかった。コロナーはできるだけ早くそれに応じ、陪審員を召集する。それによっておこなわれる手続きがのちに検視審問と呼ばれることになった。おそろしいことだが、食べものをのどにつまらせた、脳卒中をおこした、先天的な心臓の欠陥や動脈瘤のため若い人が急死したといったケースで、犯罪行為があったと判断されることもあった。自殺と他殺は、神と国王に対する罪と見なされた。自分自身や他人の命をうばうと、コロナーと陪審は故人または下手人が罪をおかしたと裁定する。するとその人の地所はすべてとりあげられ、国王の財産になる。そうした権限をもつコロナーが取引したいという誘惑にかられ、慈悲を示すかわりに受けとった金をふところにいれることもあっただろう。

その後コロナーは審判をくだす立場になり、法の執行者となった。教会に逃げこんだ容疑者も、いずれはコロナーと対面せざるをえない。コロナーは自白するようなし、国王の名において下手人の財産を没収する。コロナーは神判という残酷な慣習にもかかわっていた。神判で無実を証明するためには、火で手をあぶるなどの凄惨な拷問《ごうもん》を受けても苦痛を感じない、または傷をおわないことを示さなければならない。コロナーはそばにすわって、容疑者が拷問されるのを見守っていた。法医学的な検視や警察による本格的な捜査がおこなわれるようになる前は、妻が城の階段からころげおちて死んだようなとき、夫が過酷な拷問にたえて無傷でいられないかぎり、殺人と見なされた。

昔のコロナーは、医学的訓練を受けていない法病理医のようなものだった。そうした人間がモルグのバンで現場へいき、遺体を見て目撃者の話をきき、死亡した人がどれぐらい財産をもっていたかを調べる。そしてハチさされが原因の突然死を毒殺とみなし、妻が無実かどうか調べるためにその頭を水につける。五分か十分たってもおぼれなければ、無実と裁定する。もしおぼれ死んだら有罪という判決をくだす。その家の財産は没収され、王室の収入になる。昔のコロナー制度では陪審員が買収されたり、コロナーがふところをこやしたりした。無実の人が全財産を失ったり、絞首刑になることもあった。そんなわけでできれば突然死などしないほうがよかった。

時代がくだるとともに状況は好転した。十六世紀になるとコロナーは突然死の調査に専念し、法の執行や神判にはかかわらなくなった。一八六〇年――シッカートが生まれた年――には、コロナーの選出は下院議員の選挙と同じように真剣におこなわれるべきだという勧告が、委員会によって出された。検屍や証拠のとり扱いをきちんとおこなうことの重要性が広く認識されるにつれ、コロナーという役職がますます価値と権威をもつようになった。切り裂きジャックによる殺人がはじまった一八八八年には新たな法律が制定され、コロナーによる死の調査の結果が女王に経済的な利益をもたらすという制度が撤廃された。

こうした重要な立法措置が切り裂きジャックの犯罪と結びつけて論じられることは、これまでほとんどなかった。しかしこの法律の制定以後、死の調査については客観性が重視されるようになり、王室が物質的利益を享受《きょうじゅ》する可能性はなくなった。法が変わったことで考えかたも変化し、コロナーは王室からの無言の圧力ではなく、正義の遂行に意識を集中するようになった。王室はマーサ・タブランやメアリ・アン・ニコルズなど切り裂きジャックの被害者の検視審問に干渉《かんしょう》しても、何の利益もえられなかった。たとえ彼女たちが影響力と富をもつ上流階級の女性だったとしても同じだ。コロナーのほうも不正なことをしてえるものはなく、逆に新聞や雑誌に無能なばかもの、うそつき、強欲な暴君と書きたてられたら、大きな痛手をこうむることになる。ウィン・バクスターのような検視官は、きちんと職務を遂行することで生活していた。検視審問を主宰してもたいして収入がふえるわけではなかったが、もし誠実さや能力を疑われたら生計をたてられなくなる。

一八八八年には、コロナー制度はそれまでとは比べものにならないほど客観的で、本格的なものになった。切り裂きジャックによる連続殺人事件の最中も、それが終わった後も、何らかの邪悪な秘密を「隠蔽《いんぺい》」するための、捜査上の工作や政治的陰謀はなかったと考えるのは、ひとつにはそのためだ。むろん、体面がそれ以上傷つくのをふせぐため、警察が警察官の回顧録の出版を阻止したり、一般の人に見せることを前提としていない職務上の覚え書きを機密扱いにしたりといった、お役所的な策をとったことはまちがいない。情報の不開示や慎重すぎる扱いは、市民からは歓迎されなかったかもしれないが、必ずしもスキャンダルの存在を示唆《しさ》するものではない。やましいところのない人でも私的なメールを消去したり、シュレッダーを使ったりする。だがなぞめいたアバーライン警部がなぜ沈黙を守りぬいたのかは、どんなに調べてもよくわからない。さんざんもてはやされているわりには、どういう人間だったのか知られていない。切り裂きジャック事件の捜査主任だったが、捜査のうえであまり表立った行動はとらなかったように見える。

フレデリック・ジョージ・アバーラインは、道義心の強い謙虚で礼儀正しい人物だった。一八六三年に首都警察にはいる前は時計の修理を仕事にしていたアバーラインは、まさに時計のように堅実できちょうめんな性格だった。三十年の勤務のあいだに、判事や政務官、警視総監から、八十四回にわたって表彰されたり褒賞《ほうしよう》を受けたりしている。アバーライン自身がこともなげに書いているように、「とても有能と目されていたようだ」。

アバーラインは市民や同僚たちから大事にされていたとはいえないが、尊敬されてはいた。意識的に人に勝とうとする性格ではなかったが、仕事の成功には大きな誇りをもっていたようだ。彼の写真がひとつもないのはその人柄と無縁ではないだろう。スコットランド・ヤードの保管所やファイルからそれらがすべて「もち去られた」わけではないと思う。もし盗まれたのならまだ出まわっているはずだ。売買されるたびに値段があがっているだろう。それにもし写真が存在しているなら、一度ぐらいどこかで公表されているのがふつうだ。

わたしが知るかぎりではアバーラインの写真は一枚も残っていない。その容姿は、彼の名前のつづりをまちがえるような雑誌にのった、いくつかのスケッチから推測するしかない。それによると伝説的な警部は目立たない風貌で、ほおひげをたくわえている。耳が小さく、鼻がまっすぐで額が広い。一八八五年ごろには、髪がうすくなりかけていたようだ。すこし猫背で、背はあまり高くなかったようだ。彼がついにとらえることのできなかったイースト・エンドの怪物と同じように、アバーラインも群衆にまぎれて意のままに姿を消すことができた。

時計の修理と園芸が好きだったことは、彼の人となりをよくあらわしている。これらは孤独でもの静かな活動で、忍耐力、集中力、ねばり強さ、きちょうめんさ、軽いタッチ、生命やものごとの道理を尊重する気持ちを必要とする。刑事には最適な資質だ。それ以上に大事なものがあるとすれば誠実さだろうが、アバーラインはその点についても文句なく合格だった。彼は自伝を書いていないし、他の人が自分の伝記を書くことも許可していないが、日記のようなものはつけていた。百ページほどのスクラップブックで、自分が担当した事件にかかわる記事と、それについてのコメントが優雅なしっかりした字で記されている。

そのまとめかたからすると、作成したのは引退後だったと思われる。アバーラインが一九二九年に死去した後、彼の輝かしいキャリアの一端をうかがわせる新聞記事を集めたこのスクラップブックは子孫に受けつがれたが、その後寄贈されて他人の手にわたった。その存在についてはまったく知らなかったが、二〇〇二年のはじめにロンドンで調査をしているとき、スコットランド・ヤードの警察官がそれを見せてくれた。二〇×二八センチの、黒い装丁の本だった。最近になって寄贈されたのか、どこかで見つかったのだろうか？　スコットランド・ヤードか、そこに勤務するだれかの所有物なのか？　だれにも知られていないそのスクラップブックはいままでどこにあり、スコットランド・ヤードはいつそれを入手したのだろう？　こうした疑問の答えはわからない。アバーラインはあいかわらず口をつぐんだままだ。

その本には自伝的なことや彼の生活の詳細が書かれているわけではない。だが捜査のしかたやコメントから、アバーラインの人柄をうかがうことができる。彼は勇気のある聡明な人間で、約束を守り、ルールを重んじた。わたしが期待したような事件はスクラップブックにのっていなかったが、そうした事件のディテールをあかさないことも約束のひとつだったのだろう。一八八七年十月の「自然発火」事件から、一八九一年三月の幼児人身売買事件のあいだの記述はまったくない。

切り裂きジャックについての記述はまったくない。一八八九年におこったクリーヴランド・ストリートの男娼スキャンダルについても一言も書かれていない。これはアバーラインにとって扱いにくい事件だったにちがいない。告発されたもののなかには、王室関係者も何人かふくまれていたからだ。アバーラインの日記を読むかぎりでは、切り裂きジャック事件もクリーヴランド・ストリート・スキャンダルも存在しなかったかのようだ。だれかがそれらのページを切りとったと考える理由もない。アバーラインは捜査官として扱ったなかでももっとも論議をよびそうな、みんなが知りたがる事件の詳細は、あえて省くことにしたらしい。

なぜそうしたかについての説明が、四十四から四十五ページにかけてのっている。

ここにその理由を記しておこう。切りぬいた新聞記事にのっていることのほか、公表されていないさまざまな事実も知っているので、その気になればみんなが興味をもつようなことを書くことができるだろう。

しかし私が仕事を退いたとき、警察当局は退職した警察官が新聞や雑誌に寄稿することを禁じていた。以前に一部の退職者が軽率に回顧録を出版し、そのことをとがめられたり、名誉毀損《きそん》で告訴するとおどされたりしている。
また捜査の手の内をあきらかにすることは犯人を警戒させることにつながり、場合によっては犯罪のやりかたを教えることにもなる。
たとえば指紋のことが知られるようになったため、いまでは熟練した泥棒は手袋をはめるようになっている。

退職した警察官が回顧録を執筆することを当局が禁止しても、スコットランド・ヤードやシティ警察の元警察官の一部は、それに耳をかさなかった。そうした人たちが書いた本を三冊もっている。サー・メルヴィル・マクノートンの『警察官としての日々』、サー・ヘンリー・スミスの『巡査から警察本部長へ』、それにベンジャミン・リーソンの『失われたロンドン――イースト・エンドの刑事の回顧録』だ。三人とも著書のなかで切り裂きジャックのことをとりあげその分析をおこなっているが、いずれも百害あって一利なしというたぐいのものだ。彼らは切り裂きジャック事件にかかわっているのに、犯行時に生まれていなかったものがもちだすようなあやしげな説をとくとくと述べている。

ヘンリー・スミスは一八八八年の連続殺人がおこったときに、シティ警察の副長官をつとめていた。彼は謙虚にも、「これらの殺人のことを私以上によく知っているものは、この世にいないだろう」と書いている。そして「第二の犯行」——メアリ・アン・ニコルズ殺害のことと思われるが、彼女が殺された場所はスミスの管轄区ではない——のあと、犯人である可能性の高い容疑者を「見つけた」と主張している。スミスによるとその人物は元医学生で精神科病院にいたことがある。「これらの事件のあいだずっと」売春婦とすごしており、ファージング銅貨（注：四分の一ペニー）をみがいて一ポンド金貨のように見せかけたものをわたしていたという。

スミスはこの情報をサー・チャールズ・ウォーレンに伝えたが、ウォーレンはその容疑者を見つけることができなかった。見つけられなくて幸いだった。精神病をわずらったことのあるその男は、犯人ではなかった。ついでながら、売春婦は数ファージングで商売をするのがふつうだったから、一ポンドという額は法外だ。スミスが事件にかかわって以来、犯人は医者か医学生、または医療関係者であるという説が広まり、捜査に悪影響を与えた。

なぜ「第二の犯行」のあと、スミスが早々とそのような結論にたっしたのか理解に苦しむ。その時点ではまだ被害者ははらわたをぬかれたり、臓器をもち去られたりしていない。メアリ・アン・ニコルズが殺害されたときには、凶器がメスであるとか、犯人は外科的技術をもっているなどという説は出されていない。時期についてのスミスの記憶があやまっているのでないかぎり、このような捜査の早い段階で警察が医学的訓練を受けた人物を容疑者と考える理由はない。

チャールズ・ウォーレンはスミスの提案に反応しなかったらしい。そこでスミスは配下の警官隊の「三分の一近く」に私服を着用させ、「ふつうは巡査がするべきではないさまざまなこと」をするように命じた、と回想録にはある。戸口の階段にすわってパイプをくゆらす、パブへいく、地元の人たちとうわさ話をするといった活動だ。そのあいだスミスもじっとしていたわけではなく、町中の肉屋へ足をはこんだ。警察本部長が――おそらく変装するか背広にネクタイというかっこうで――肉屋へいき、女性をめった切りにしそうなあやしいやつが同業者にいないかとたずねているところを想像してほしい。首都警察は彼が管轄権を侵害して捜査にのりだしてきたことを、快く思わなかったにちがいない。

サー・メルヴィル・マクノートンの説は、直接的な情報やアバーラインのような偏見のない経験豊かな人物の推理にもとづいたものではない。彼がそれを提唱したことで切り裂きジャック事件の捜査が攪乱《かくらん》されたとはいえないものの、遠まわりさせられる結果になった。マクノートンは一八八九年に首都警察にはいり、副総監として犯罪捜査部（CID）を担当したが、その役にふさわしい経歴のもちぬしではなかった。任命される前は家族が経営するベンガル（注：インド北東部）の茶畑で十二年間働き、毎朝ヤマネコやキツネ、ワニを撃ったり、イノシシ狩りに出かけたりしていた。

彼の回顧録はスミスの本が出た四年後の一九一四年に出版された。マクノートンは最初は自制しているが、五十五ページあたりから犯人さがしにのりだし、素人っぽい推理を展開する。ヘンリー・スミスについてもふれ、スミスは最初の殺人がおこる何週間も前から犯人を熱心に追っているが、まるで事件がおこるのを「まちかまえていたかのようだ」、「透視力でもあるのだろうか」と書いている。切り裂きジャックは八月七日のマーサ・タブラン殺害でデビューしたとスミスは考えているが、マクノートンは八月三十一日のメアリ・アン・ニコルズ殺害を最初の犯行と見なしているためだ。

回顧録には、深い霧におおわれた不気味な夜のことや、「おそろしい殺人がまたおこったよ……！」という新聞売り子の「耳ざわりな叫び声」のことが書かれている。マクノートンが描く場面はページがすすむごとにドラマチックになっていくので、読むほうとしてはいいかげんにしてくれと言いたくなる。この本も内務省がにぎりつぶしてくれればよかったのにと思わざるをえない。マクノートンが実際にその耳ざわりな叫び声をきき、霧深いおそろしい夜を体験した可能性もないとはいえない。だがおそらく彼はイースト・エンドに近づいたこともないというのが真相だろう。

マクノートンはインドから帰国したばかりで、まだ家族のために働いていた。スコットランド・ヤードにはいったのは、切り裂きジャックの犯行が終わったとされてから八ヵ月ほどたったときだ。そのころには警察はその事件をさほど重要視していなかった。にもかかわらずマクノートンは大胆にも切り裂きジャックの正体を推測し、さらに切り裂きジャックはすでに死んでおり、彼が殺害したのはメアリ・アン・ニコルズ、アニー・チャップマン、エリザベス・ストライド、キャサリン・エドウズ、そしてメアリ・ケリーの「五人だけ」と断定している。一八八八年十一月におこった「五番目」の殺人のあと、切り裂きジャックは「完全に正気を失い」、自殺したというのが、マクノートンの「理にかなった」仮説だ。

一八八八年の末、うつ状態におちいった若い法廷弁護士モンタギュー・ジョン・ドルイットは、テムズ川に身を投げた。それにより彼ははからずも切り裂きジャック事件の三人の有力容疑者のひとりとして、マクノートンに名前をあげられることになった。ドルイットより可能性が低いと見なされたあとのふたりは、アーロン・コズミンスキーというユダヤ系ポーランド人と、ロシア人医師、ミハエル・オストログだ。コズミンスキーは「狂人」で、「女性を憎悪」しており、オストログは「精神科病院」へ収容されていたという。

マクノートンはなぜかモンタギュー・ドルイットは医者だと思っていた。このあやまった情報が後世に伝えられ、いまだにドルイットは医者だったと思っている人もいるようだ。マクノートンがどこからその情報をえたのかわからないが、モンタギューのおじのロバート・ドルイットが著名な内科医でメディカルライター、モンタギューの父親のウィリアムが外科医だったために、混乱したのかもしれない。残念ながら「モンティ」ことモンタギューに関する情報がほとんどないため、彼があやしいという説はこの先も根強く残るだろう。

ドルイットは浅黒い肌のハンサムな青年で、運動が得意だった。一八七六年、十九歳のときオックスフォード大学のニューカレッジへ入学し、五年後には法律家になるためロンドンのイナーテンプル法曹学院に入った。優秀な学生で、クリケットの選手としてもずばぬけた才能のもちぬしだった。ブラックヒースにあるヴァレンタインズ・スクールという全寮制の男子校で、非常勤の助手として働いていた。一八八八年の秋にヴァレンタインズ・スクールをくびになったが、その理由は彼が同性愛者だったためか子供に性的ないたずらをしたため、あるいはその両方だったといわれている。ドルイットは「性的に異常」だったとマクノートンは回顧録に書いている。ヴィクトリア朝にはその表現は同性愛を意味していたようだ。しかしそれを裏づけるものは何もない。信頼できる情報にもとづいているがその資料はすててしまったとマクノートンは述べている。

ドルイットの家系には精神病者が多かった。彼の母親は一八八八年の夏に精神科病院に入院し、すくなくとも一度自殺をはかっている。ドルイットの妹ものちに自殺した。ドルイットは母親のようになるのがこわいので自殺するという遺書を残して、一八八八年の初冬、テムズ川に身を投げた。三十一歳で独身だった。ドーセットとウエスト・サセックスの記録保管所にあるドルイット家の保管文書から、彼の手紙が一通だけ見つかっている。一八七六年の九月におじのロバートにあてたものだ。ドルイットの筆跡もことばづかいも、切り裂きジャックの手紙とはまったくちがう。そもそもこの一通の手紙でこうした判断をするのは無意味だし、不当だ。一八七六年には、ドルイットはまだ二十歳になっていなかった。筆跡やことばづかいは偽装できるだけでなく、年とともに変わっていく。

ドルイットが切り裂きジャック事件の容疑者と見なされたのは、切り裂きジャックの最後の犯行だとマクノートンが思いこんでいる一八八八年十一月の事件のすぐあとに、都合よく自殺したためだ。この若い法廷弁護士にはやましい点は何もない。おそらく彼はヴァレンタインズ・スクールをやめさせられる原因とされている自らの行為を気に病んで死を選んだのだろう。そのときの彼の精神状態や気持ちを知ることはできないが、トップコートのポケットに石をつめ、氷のようにつめたい汚れたテムズ川にとびこむほどその絶望は深かったのだ。ドルイットの遺体が川からひきあげられたのは、一八八八年の最後の日だった。遺体の腐敗の度合いから、死後一ヵ月ほどたっていると推測された。チズィックでおこなわれた検視審問では、陪審は「精神異常による自殺」という評決をくだした。

切り裂きジャック事件の容疑者としてよくあげられるのは医者と精神病者だ。事件当時の巡査、B・リーソンの回顧録によると、警察裁判所で十日間傍聴したことと、警部から「数時間」指示を受けたことが、警察官としての訓練のすべてだったという。あとは経験から学ばねばならなかった。リーソンは、「残念ながら切り裂きジャックの正体はわからない」としながらも、切り裂きジャックによる殺人がおこるたびに、現場の近くである医者の姿を見かけたと書いている。ということは、リーソンもそのたびに現場の近くにいたわけだ。さもなければいつも「同じ」医者がいたことに気づくはずがない。

フレデリック・アバーラインが切り裂きジャック事件について書かなかったのは、自分の知らないことをとくとくと話すのを慎むだけの分別をもちあわせていたからかもしれない。彼のスクラップブックにのっているのは、自ら捜査して解決した事件だけだ。はってある新聞記事とアンダーライン（定規を使ってまっすぐにひいてある）の箇所、それについてのコメントの数はさほど多くないし、熱がこもってもいない。彼は非常に勤勉にはたらいたが、それを不満に思うこともあったようだ。たとえば一八八五年の一月二十四日にロンドン塔爆破事件がおこったときは「とくにきつかった。当時の内務大臣サー・ウィリアム・ハーコートが捜査の状況を毎朝報告するように求めたため、一日中けんめいに働いたあと翌朝の四時、五時までかかって報告書を書かねばならないことが何度もあった」。

ロンドン塔爆破事件でそれが求められたとしたら、切り裂きジャック事件のときはなおさらだ。徹夜して朝いちばんに内務省へ報告にいかねばならないことがよくあっただろう。ロンドン塔爆破事件のとき、アバーラインは「爆発のあとただちに」現場へかけつけ、その場にいるもの全員に、そこにとどまって警察の事情聴取に応じるよう指示した。アバーライン自身もおおぜいに質問し、その過程で犯人のひとりを「見つけた」。「ためらいがちな答えかたとおちつきのない態度」からわかったという。爆破事件とアバーラインのすぐれた捜査についてはさかんに報道された。その四年後にアバーラインのかげがうすくなったように見えたとしたら、彼が監督する立場になったことと、その慎重さのためだろう。アバーラインは賞賛を求めることなく、もくもくと働いた。注目されることを好まず、具合の悪いところは必ず直す物静かな時計修理人そのものだった。

きっと切り裂きジャック事件のことで悩み、夜の街を歩きまわってはあれこれ推理し、霧のたちこめる汚れた空気のなかでなんとか手がかりを見つけようとしたのだろう。一八九二年に同僚や友人、家族、イースト・エンドの商店主たちがアバーラインの退職を記念してディナーパーティーをひらいた。そして銀の茶器を贈って、犯罪捜査における彼のすぐれた業績をたたえた。そのことを報じた「イースト・ロンドン・オブザーヴァー」紙の記事によると、H管区のアーノルド警視はアバーラインの引退を祝うために集まった人々にこのように述べた。切り裂きジャック事件のあいだ、「アバーラインはイースト・エンドへいき、それらの犯罪を解決することに全力をそそぎました。しかし残念ながらさまざまな事情により、それはかないませんでした」。一八八八年の秋、「いまのところ手がかりはひとつもありません」と記者たちに告白せざるをえなかったとき、アバーラインはさぞ腹立たしく、無念だったろう。彼は犯罪者をだしぬくことになれていた。切り裂きジャック事件を解決しようと思いつめ、「その精神的重圧のためノイローゼになりそうだった」という。徹夜することも多く、何日も寝ずにすごした。私服を着て、簡易宿泊所の炊事場で「いかがわしい連中」と明け方までいっしょにすごすこともめずらしくなかった。しかしどこへいっても「悪漢」は見つからなかった。アバーラインはシッカートと出会っていただろうか？　どこかの時点でふたりが話をしていたとしても意外ではない。もしかするとシッカートはいろいろ助言していたかもしれない。彼にとって「実にゆかい」なことだったにちがいない。

のちにだれかが切り裂きジャック事件のことをもちだすたびに、アバーラインはいらだたしげに、「仮説ね！　あやうくそれに埋もれるところだったよ。たくさんありすぎて」と言ったという。後年、ほかの事件の捜査にうつってからは、その話をもちだされるのは不愉快だったようだ。アバーラインにはイースト・エンドの公衆衛生がよくなったことや、彼が捜査した一連の証文強奪事件の話をさせておくほうが無難だった。この事件で、彼はさまざまな手がかりから鉄道停車場におかれたもちぬし不明のスーツケースを発見して、事件を解決へと導いたのだ。

アバーラインはその豊富な経験と卓越した才能にもかかわらず、彼のキャリアのなかでももっとも重要な事件を解決することができなかった。引退後、庭仕事をしながら彼がそのために一瞬でも悔しさや心の痛みを感じたとしたら残念だ。フレデリック・アバーラインは自分がどんな相手と戦っていたのか知らぬままこの世を去った。ウォルター・シッカートはほかのどんな殺人犯ともちがっていたのだ。

14 かぎ針編みと花

メアリ・アン・ニコルズの遺体はホワイトチャペルの死体置場に何日もおかれていた。腐敗しかけた遺体にようやくプライバシーと安息が与えられたのは、九月六日の木曜日になってからだ。

遺体は「がっしりした」木の棺《ひつぎ》にいれられ、葬儀馬車で十一キロ先のイルフォード墓地へはこばれ、埋葬された。その日太陽は五分しか顔をださず、一日中もやがたちこめ、雨もようだった。

翌日の金曜日に開催された英国学術協会の第五十八回年次総会では、避雷針をきちんと設置して点検することの必要性、雷光の気まぐれな変化、雷光と雁《がん》が電線に与える被害などの重要なトピックがとりあげられた。電灯照明が衛生によいことが提示され、電気は物質かエネルギーかについて物理学者とエンジニアが討論した。もし「虚弱さと病気と怠惰と愚かさを防ぐことができれば」、貧困と不幸はなくなると発表された。喜ばしいニュースもひとつあった。トマス・エディソンが設立した工場が操業をはじめ、年間一万八千台の蓄音機が一台二十から二十五ポンドで販売されることになるというのだ。

その日は前日よりさらに天気が悪かった。一日中陽がささず、北からの突風がふきあれていた。雨やみぞれがたたきつけるようにふり、ロンドンっ子たちはつめたいもやのなかを仕事へいき、夕方は劇場へでかけた。ライシーアム劇場では『ジキル博士とハイド氏』がまだ人気をよんでおり、そのパロディーの『ハイドとシーキル』がロイヤル劇場でオープンしていた。ゲイエティ劇場の殺人と人食い人がテーマの『シー』という芝居は、「戯曲におけるおそるべき実験」とその日の新聞で評された。シッカートのひいきのミュージックホール、アルハンブラは午後十時半にオープンし、ダンサーの一群とクライヴス船長と彼の「すばらしい犬」が登場した。

ロンドンの夜の楽しみが佳境にはいったころ、アニー・チャップマンは酒をのんで寝ていた。その週はふだん以上にきつかった。アニーは四十七歳で、前歯が二本欠けていた。身長百五十二センチで太っている。目は青くウェーブのかかったこげ茶色の髪は短く切っていた。のちの警察の発表によると「容色はおとろえていた」。ちまたでは「ダーク・アニー」と呼ばれていた。別居中の夫は獣医だったとする説もあるが、一般にはウインザーに住む紳士のもとで働く御者だったといわれている。

アニーと夫は別居後は接触がなかった。アニーがはじめて夫の消息をたずねたのは、一八八六年の末に突然彼からの週十シリングの仕送りがとだえたときだ。ある日、「メリー・ワイヴス・オブ・ウインザー《ウィンザーの陽気な女房たち》」というパブに浮浪者のようなみすぼらしい身なりの女がやってきて、チャップマンのことをきいた。簡易宿泊所に泊まりながら、ロンドンから三十二キロの道のりを歩いてきたという。夫は病気なのかそれとも仕送りをやめる口実として病気といつわっているのだろうか、と彼女はたずねた。パブの入り口にいた女性が、チャップマン氏はクリスマスの日に死んだと教えた。アニーに残されたのはふたりの子供だけだった。身体障害者用施設にはいっている息子と、フランスに住む教養のある娘だが、ふたりとも母親とはかかわろうとしなかった。

アニーは篩《ふるい》職人と暮らしていたが、彼に去られてからは弟からわずかな金を借りて生活していた。だが弟もしまいには無心に応じなくなった。それ以後彼女は家族のだれとも接触せず、健康がゆるすときはかぎ針編みや花を売って小銭をかせいだ。知人たちはアニーを「器用」で働きものだったと評しているが、アルコールへの依存がひどくなるにつれ、どんな方法で生活費をかせごうが気にしなくなった。

死ぬ前の四ヵ月は診療所を出たりはいったりしていた。夜はスピタルフィールズにある簡易宿泊所ですごした。最後に泊まったのはコマーシャル・ストリートとクリスピン・ストリートを結ぶ短い通り、ドーセット・ストリートの三十五番地にある簡易宿泊所だ。スピタルフィールズのこうしたむさくるしい安宿のベッド数は、あわせて五千にものぼっていたと推定される。アニーの検視審問で「どん底の生活をかいまみた（陪審員たちは）……十九世紀文明には誇ることのできない面も多々あると感じたことだろう」と、『タイムズ』紙はのちに報じている。アニー・チャップマンの住む世界では、貧乏人は「家畜のようにかりあつめられ」、「飢餓にひんしていた」。貧困とアルコールと怒りによってかきたてられた暴力的な空気が、あたりに充満していた。

死の四日前、アニーは同じ宿泊所にいたイライザ・クーパーという女とけんかした。アニーが炊事場にいるとイライザがやってきて、貸したせっけんを返せとせまったのだ。アニーは半ペニー銅貨をテーブルにたたきつけて、これで買えばと言った。口論になり、ふたりはそのまま近くのリンガーというパブへいった。そこでアニーはイライザの顔に平手打ちをくわせ、イライザはアニーの左目と胸をなぐった。

九月八日土曜日の明け方、ドーセット・ストリートの簡易宿泊所の管理人ジョン・ドノヴァンがアニーに会ったとき、まだあざが残っていたという。もうひと晩泊まるつもりなら八ペニー払えと彼は要求した。するとアニーは「お金はないわ。具合が悪いの。診療所にはいってたのよ」と言った。規則はわかっているだろうとドノヴァンが言うと、お金をかせいでくるからほかの人にベッドを貸さないでと答えた。夜警がアニーを外につれだした。そのとき彼女は「酔っていた」とドノヴァンはのちに警察に話している。

アニーはリトル・パタノスター・ロウの最初の角を右へまがり、夜警が最後に見たときにはブラッシュフィールド・ストリートを歩いていた。これはビショップズゲート・ウィズアウト・ノートン・フォルゲートと呼ばれていた通りとコマーシャル・ストリートを結ぶ、東西に走る道だ。コマーシャル・ストリートを北に数ブロックいけばショアディッチへでる。そこにはショアディッチ・オリンピア、ハーウッズ、グリフィンズなどのミュージックホールがあった。さらに北へすすむとホクストン・ストリートへいきつく。シッカートがミュージックホールや劇場へいったり、深夜や早朝にあちこちを歩きまわったあと、ブロードハースト・ガーデンズ五十四番地の自宅へもどるときにとおった道だ。

アニーが外へでたのは午前二時。ロンドンのイースト・エンドの気温は十度で、空気はじっとりしめっていた。アニーは黒いスカート、えりもとにホックのついた黒い上着、エプロン、ウールの靴下にブーツをはき、首に黒いウールのスカーフをまいて前で結んでいた。スカーフの下には、何日か前にべつの宿泊人から買ったハンカチをまいている。左手のくすりゆびには安物の金属の指輪を三つはめていた。スカートの内ポケットには小さなくしケースと目のあらいモスリンの布きれ、それに封筒の切れはしがはいっていた。簡易宿泊所の床におちていたのをひろって、診療所からもらった錠剤二粒をいれていたのだ。封筒には赤い消印がついていた。

それから三時間半のあいだにアニーの生きている姿を見たものがいたとしても、だれも目撃者として名のりでなかった。五時十五分前、スピタルフィールズ市場で運搬人をしている三十七歳のジョン・リチャードソンが、ハンベリー・ストリート二十九番地にある貧乏人相手の下宿屋へむかった。スピタルフィールズにあるそうした荒れはてた住居の多くは、かつて織物工場として使われていたもので、蒸気動力が人力にとってかわるまで、だだっ広い建物のなかで織工たちが手織り機《ばた》で仕事をしていた。リチャードソンの母親はそうした建物のひとつを借り、半数の部屋を十七人に貸していた。孝行息子のリチャードソンは、早おきしたときにいつもするように、地下室の様子を見によったのだ。二ヵ月前、何者かが地下室に侵入してのこぎりとハンマーを二本ずつ盗んでいった。母親は荷箱製造業も営んでいたので、道具類をとられるのは大きな打撃だった。

地下室にきちんとかぎがかかっていることを確認した後、リチャードソンは裏庭へ出る通路をとおって出口の石段にすわり、ブーツの革の邪魔になる部分を切りおとした。のちに検視審問で証言したところによると、使ったのは「十二センチほどの長さ」の「古いテーブルナイフ」だった。「にんじんをすこし」切るのに使ったあと、何気なくポケットにしまったという。石段にすわっていた時間はせいぜい五、六分だった。彼が足をおいていた敷石は、その後アニー・チャップマンの無残な遺体が見つかった場所から数十センチとはなれていなかった。人の姿はなく、物音もしなかった。リチャードソンが修理したブーツをはいてひもを結び、市場へむかったころ陽がのぼりはじめた。

アルバート・カドッシュはとなりのハンベリー・ストリート二十七番地に住んでいた。そこの裏庭と二十九番地の敷地とのあいだには、高さ一・五から一・七メートルの粗末な板塀《いたべい》がたっていた。カドッシュがのちに警察に話したところでは、午前五時二十五分に裏庭へでたとき、塀の向こう側で「やめて」という声がして、数分後に何か重たいものが塀にぶつかる音がきこえた。それが何の音でだれが「やめて」と言ったのか、確かめなかったという。

五分後の五時半、エリザベス・ロングがスピタルフィールズ市場へむかってハンベリー・ストリートを西に歩いているとき、ハンベリー・ストリート二十九番地の敷地をかこむ塀のそばで、男女が立ち話をしているのに気づいた。それからわずか三十分後に、その塀の向こう側でアニー・チャップマンの遺体が発見されることになる。女性は「たしかに」アニー・チャップマンだった、とミセス・ロングは審問で証言した。アニーと男性は声高に話していたが、とくにもめている様子はなかった。会話はきこえなかったが、男性が「いいか？」とたずね、アニーと目される女性が「いいわよ」と答えるのが通りすがりに耳にはいったという。

証人たちがあげた時間はあきらかに矛盾している。だれかのそばをとおったときや死体を発見したときの時刻がなぜわかったのかは、審問ではあきらかにされなかった。その時代には、自分の日課や太陽の位置、毎正時または半時ごとに鳴る教会の鐘の音で時を判断する人が多かった。ハンベリー・ストリート二十九番地に住むハリエット・ハーディマンは、窓の外の騒ぎで目ざめたのはたしかに午前六時だったと審問で証言した。彼女は猫のえさ売りだった。下宿屋のなかに店があるが、そのほかに腐りかけた魚や屠場からでるくず肉を手押し車にのせ、のら猫の長い列をしたがえて売り歩いていた。

ハリエットは一階の部屋で寝ていたが、興奮した声に目がさめた。火事かと思い、息子をおこして外へ様子を見にいかせた。もどってきた息子は、裏庭で女が殺されたらしいと話した。母親も息子も前の晩は夜通しぐっすり眠った。ハリエットがのちに証言したところでは、階段や裏庭へでる通路でよく人の声がするが、その晩は静かだったという。ジョン・リチャードソンの母親のアミーリアは、その夜はなかば目ざめていたので、言い争う声や悲鳴がきこえたら気づいたはずだが、やはり何もきこえなかったと証言した。

ハンベリー・ストリート二十九番地の下宿屋では住人の出入りがはげしく、表戸も裏戸もつねにあけてあった。建物の裏手の、囲いのある庭へでる通路の戸にもかぎはかかっていなかった。門のかけ金をはずして庭へはいってくることはだれにでもできた。アニー・チャップマンも殺される直前にそうしたのだろう。午前五時五十五分、その下宿屋に住む荷馬車の御者のジョン・デイヴィスが市場へでかけようとして、運悪くアニー・チャップマンの遺体を発見するはめになった。遺体は建物と塀のあいだにあった。一時間ほど前、リチャードソンがブーツの革を切りとるためにすわっていた石段のすぐそばだ。

遺体はあおむけに倒れ、左手を左胸のうえにおき、右腕を体にそってのばし、両脚をまげていた。衣服は乱れ、ひざのところまでまくりあげられている。のどは深く切られ、頭と胴体がほとんど切りはなされていた。腹も切り裂かれ、腸と腹部の皮膚が切りとられ、左肩のそばの血だまりのなかにおかれていた。それが何かのシンボルだったのかどうかはわからない。

おそらく内臓や組織を切りとってそこへおいたのは、邪魔になったからだろう。腎臓と子宮と膣をとるのが犯人のねらいだったようだが、世間にショックを与えることも目的のひとつだったろう。その試みは成功した。ジョン・デイヴィスは上階の自分の部屋にかけもどって、ブランデーをあおった。それから急いで作業場へいき、遺体にかけるための防水シートをとってきてから、巡査をさがしに走った。

数分後、コマーシャル・ストリート警察署のジョゼフ・チャンドラー警部がかけつけた。彼は現場の状況を見るなり、管区担当医のジョージ・フィリップス医師を呼びにやらせた。人垣ができはじめ、「また女が殺されたぞ！」という声があがった。フィリップス医師はざっと見ただけで、被害者は「腹」を切り裂かれる前にのどを切られており、死後約二時間たっていると断定した。顔がはれあがり、前歯のあいだから舌がつきでていた。おそらく絞殺されたのだろう。すくなくとものどを切られる前に意識を失っていたはずだ、とフィリップス医師は述べた。死後硬直がはじまりかけていた。建物の外壁に「六ヵ所」血しぶきがとんだあとがあった。被害者の頭上約四十五センチのところだ。

血痕はごく小さいものからコイン大のものまであり、「一ヵ所」ずつかたまっていた。塀にも血の「あと」がついていた。被害者の足元にはモスリンの布きれとくし、それに血のついた封筒の切れはしがきちんとならべられていた。封筒にはサセックス連隊の紋章がついており、ロンドンの消印が押されていた。日付は一八八八年八月二十日だ。そばに錠剤が二粒落ちていた。アニーがはめていた安っぽい指輪はなくなっていた。指にすり傷があるところから、無理にはずしたらしい。その後切り裂きジャックがシティ警察に送った思われる、日付も署名もないはがきには、のどを切り裂かれた人物の漫画が巧みに描かれ、「かわいそうなアニー」というキャプションとともに、アニーの指輪は「おれがもっている」という文章がそえられていた。

アニーの衣服はどれも破れていなかった。ブーツもはいており、黒い上着はボタンとホックがとめられていた。上着のえりは表も裏も血まみれで、靴下と左そでにも血がついていた。新聞にも警察の報告書にも書かれていないが、フィリップス医師は遺体に粗麻布をかける前に、内臓や組織をすくいあげて腹腔にもどしたのだろう。それから警官といっしょに、前日に埋葬されるまでメアリ・アン・ニコルズの遺体がいれられていた木の桶にアニーの遺体をおさめた。桶は救急用手押し車にのせられ、ホワイトチャペルの死体置場へ運ばれた。

そのころにはあたりは明るくなり、何百人ものやじうまがハンベリー・ストリート二十九番地の裏庭へつめかけていた。下宿屋の両どなりの家の住人は、入場料をとって血みどろの殺害現場を見たい人たちをなかにいれはじめた。

もう「悪魔」を見たかい？
　まだなら

―ペニーはらってなかへどうぞ

切り裂きジャックは十月十日付けのはがきにそう書いている。同じはがきには「毎晩ハムステッドヒースでおまわりどもを待っている」とも書かれていた。ハムステッドヒースは保養泉や水遊びのできる池のある広大な公園で、昔からディケンズ、シェリー、ポープ、キーツ、コンスタブルなど、多くの作家、詩人、画家に好まれている。バンク・ホリデイには、十万人もの人々が公園内のなだらかに起伏する農地や、うっそうと茂った雑木林をおとずれたという。サウス・ハムステッドにあるシッカートの自宅からハムステッドヒースまでは、歩いて二十分ほどの距離だった。

切り裂きジャックの手紙にはほのめかしが含まれている――たとえば「もう『悪魔』を見たかい?」のはがきは、イースト・エンドの住人が入場料をとって切り裂きジャックの犯行現場を見せたことをほのめかしていると思われる――だけでなく、地理的なヒントも隠されている。手紙に登場する地名――くりかえしでてくるものもある――の多くは、シッカートのよく知っている場所や地域だった。彼が何度も絵に描いているカムデン・タウンのベッドフォード・ミュージックホールやブロードハースト・ガーデンズ五十四番地の自宅、たびたびいったと思われるロンドンの繁華街や劇場街、美術館のある地域などだ。

手紙に見られる消印や地名でベッドフォード・ミュージックホールのそばにあるものはハムステッド・ロード、キングズクロス駅、トテナムコート、サマーズ・タウン、オールバニー・ストリート、セント・パンクラス教会などだ。

ブロードハースト・ガーデンズ五十四番地に近いものはキルバーン、パーマストン・ロード(彼の家からわずか数ブロック)、プリンセス・ロード、ケンティッシュ・タウン、アルマ・ストリート、フィンチリー・ロード(ブロードハースト・ガーデンズからのびている)。

消印や地名で劇場やミュージックホール、美術館、シッカートが仕事や趣味でいったと思われる場所に近いものは、ピカデリーサーカス、ヘイマーケット、チャリングクロス、バタシー(ホイッスラーのアトリエに近い)、リージェント・ストリート・ノース、メイフェア、パディントン(パディントン駅がある)、ヨーク・ストリート(パディントンの近く)、イズリントン(セント・マーク病院がある)、ウスター(画家が好んでいく町)、グリニッジ、ジプシー・ヒル(クリスタル・パレスのそば)、ポートマンスクエア(ザ・ファイン・アート・ソサエティーのそば。建築絵画を集めたハインツ・ギャラリーがある)、コンデュイット・ストリート(ザ・ファイン・アート・ソサエティーに近い。ヴィクトリア朝には十九世紀美術協会とイギリス建築士協会があった)。

シッカートのスケッチは非常に精密だ。彼はあとで油絵や水彩画にできるよう、目にうつったものを正確にえんぴつで記録した。彼の「正方形に区切る」数学的な画法や、大きさのバランスを失わずにスケッチを拡大するための幾何学的技法は、シッカートがきちんとした科学的な思考のもちぬしだったことを示している。シッカートは凝ったつくりの建築物の絵を数多く残している。ディエップやヴェニスの教会の絵はとくに細密だ。そこから推測するとおそらく彼は建築に興味があり、世界最大の建築絵画のコレクションのあるハインツ・ギャラリーをおとずれているだろう。

シッカートはもともと俳優だった。はじめて舞台に立ったのは一八七九年とされている。現存しているシッカートのもっとも古い手紙は、一八八〇年に歴史家で伝記作家のT・E・ペンバートンにあてたものだ。そのなかでシッカートはバーミンガム巡業中に『ヘンリー五世』の「老人」の役を演じたことにふれ、「いちばん好きな役です」と書いている。シッカートは画家になりたかったので俳優をやめたといわれているが、デニス・サットンが集めた手紙からはべつの事情がうかがえる。「ウォルターは役者になりたがっていた」と、ある手紙には書かれている。だがべつの知人の手紙によると、「役者としてはうだつがあがらなかったので、画家をめざした」という。

二十代のはじめには、シッカートはまだ俳優として活動しており、ヘンリー・アーヴィングの一座といっしょに巡業していた。彼は有名な建築家で衣装デザイナーのエドワード・W・ゴドウィンと面識があった。ゴドウィンは芝居好きで、ホイッスラーと親しかった。シッカートが若手の俳優だったころ、ゴドウィンはエレン・テリーと同棲していた。ホイッスラーの家――チェルシーのタイト・ストリートにあるホワイト・ハウス――もゴドウィンがそのころ手がけたものだ。一八八八年の八月十一日に、ゴドウィンの未亡人ビアトリスとホイッスラーが結婚した。切り裂きジャックの手紙が先にあげたようなロンドンのさまざまな場所で書かれ、投函されたときに、こうした伝記的、地理的なディテールがシッカートの頭のなかで結びついていたと断定することはできない。しかしシッカートはすくなくともロンドンのこれらの地域をよく知っていたと思われる。それらは「殺人的傾向のある狂人」やイースト・エンドの「最下層の犯罪者」にとってなじみのある場所ではなかっただろう。

切り裂きジャックの手紙の多くはイースト・エンドで投函されているが、そうでないものがかなりあるのも事実だ。しかしシッカートはイースト・エンドですごすことが多く、ロンドンのこのすさんだ地域については警察よりくわしかっただろう。当時、首都警察の巡査はパブへはいったり地元の住民とつきあったりすることを禁じられていた。パトロール巡査は規則正しく巡回するのが仕事で、理由なく下宿屋やパブへはいったり、受けもち区域からでたりすると叱責され、場合によっては停職処分を受けた。だがシッカートは好きなところに出入りすることができた。彼にははいれない場所はなかった。

警察はイースト・エンドのことしか眼中になかったようだ。切り裂きジャックがさまざまな手を使ってほかの地域や場所に目をむけさせようとしても、おおむね無視された。イースト・エンド以外の場所で投函された切り裂きジャックの手紙の消印を、警察がくわしく調査した形跡はない。イギリスのほかの都市で書かれ、投函された手紙についても同じだ。封筒の多くは保存されておらず、消印がわからないので、切り裂きジャックが自分で手紙に書いた地名にたよるしかない。しかし実際にそのとき彼がそこにいたかどうかはわからない。

消印を見ると、切り裂きジャックがそのときにいた、またはいこうとしていたのはつぎのような場所だ。バーミンガム、リヴァプール、マンチェスター、リーズ、ブラッドフォード、ダブリン、ベルファスト、リメリック、エディンバラ、プリマス、レスター、ブリストル、クラパム、ウリッジ、ノッティンガム、ポーツマス、クロイドン、フォークストン、グロスター、リース、リール（フランス）、リスボン（ポルトガル）、フィラデルフィア（アメリカ）。

このなかのいくつか、とくにポルトガルとアメリカは非常にあやしい。知られているかぎりでは、シッカートはこれらの国へいったことはない。ほかにも日付などから考えてありえないと思われる手紙がある。たとえば何通かの手紙は同じ日——十月八日——にそれぞれロンドン、リール、バーミンガム、ダブリンで書いた、または投函したことになっている。事件から百十四年たち、多くの封筒と消印が失われ、証拠は古くなり証人は死んでしまっているいま、手紙の日付と書かれた場所がはたして事実かどうかたしかめるすべはない。それを確認できるものは消印と目撃者だけだ。

もちろんシッカートが切り裂きジャックの手紙をすべて書いたわけではない。だがふつうの人とちがって彼は自在に筆跡を変えることができた。どこかの町にいると切り裂きジャックが書いたとき、実際はそこにいなかったことを証明する記録は見つかっていない。一八八八年の十月、切り裂きジャックは精力的に手紙を書いた。その月に書かれた八十通の手紙がいまも残っている。たて続けに何件かの殺人をおかしたあと、犯人がその土地をはなれるのはふしぎではない。ホワイトチャペルは騒がしくなってきたので遠くの土地で静養しようと思う、と切り裂きジャック自身もいくつかの手紙で書いている。

連続殺人犯は各地を移動することが現代の事件からもわかっている。文字どおり車を住みかにしているものもいる。シッカートにとって十月はロンドンをはなれるのに都合のよい月だった。妻のエレンは自由党員の代表団のひとりとして、アイルランドの自治と自由貿易を支持するためのアイルランドでの大会に参加しており、十月はほとんどイギリスにいなかった。そのあいだにエレンとシッカートが連絡をとりあっていたとしても、手紙や電報はいっさい残っていない。

シッカートは手紙を書くのが大好きだった。あまりひんぱんに手紙をだしてもうしわけないと友人たちにあやまっているほどだ。新聞社へもしょっちゅう手紙を送っていた。ニュースとしてとりあげられるこつを心得ていたらしく、シッカートが送った手紙と彼についての記事をあわせると、年に六百にものぼることもあった。イズリントン公立図書館にあるシッカートの保管文書を調べて大量の切り抜きに目をとおすのは、たいへんな作業だ。シッカートは十九世紀末ごろからそれらを集めはじめたが、彼に関する記事があまりに多いため、新聞の切り抜きサービスを利用するようになった。それでいて彼はインタビューを受けないことで知られていた。「内気」でメディアに登場するのがきらいという神話を自らつくりあげたのだ。

シッカートの投書癖に困惑する新聞社もあった。絵画、電信柱の美的特質、イギリス人がみなキルトを着用すべき理由、塩素消毒した水の害などについてのシッカートの手紙が届くと、編集主任たちはその扱いに頭をなやませた。それを無視したり、目立たない小さな記事にして著名な画家を侮辱《ぶじょく》するわけにいかないからだ。

一九二四年の一月二十五日から五月二十五日までのあいだに、シッカートは連続講義をおこない、論文を書いた。それらはリヴァプールの北にある港町サウスポートの新聞、「サウスポート・ヴィジター」紙に掲載された。一連の記事の語数は総計十三万語をこえたが、それでも足りなかったようだ。五月六日、十二日、十五日、十九日、二十二日に、シッカートは「ヴィジター」紙の編集発行人W・H・スティーヴンソンにつぎのような手紙か電報を送っている。「ヴィジター紙にもうひとつ記事をのせてもらえるだろうか……のせてもらえるならすぐに原稿を送る」「記事に満足している」「印刷工にたのんで刷りあがったものを六部速達で送ってほしい」「もうひとつだけ原稿を送らせてほしい」「夏のあいだ、私の記事を連載してくれる地方紙があったら知らせてくれ」

シッカートの著作物は膨大な数にのぼる。イズリントン公立図書館にある彼のスクラップブックには、シッカートについての記事と彼の手紙が一万二千以上保存されている。手紙はイギリスの新聞や雑誌にあてたものだけで、大半が一九一一年から一九三〇年代末までのあいだに書かれたものだ。シッカートは四百にのぼる講演の原稿や論文も発表している。おそらくこれ以外にもいろいろな著作があるだろう。シッカートは書かずにはいられなかった。言葉で人を説きふせ、あやつり、感銘を与えることを楽しんだ。彼は読者を切望し、自分の名前が活字になることを求めた。切り裂きジャックと称して、シッカートがさまざまな土地からおびただしい数の手紙を書いたのは、いかにも彼らしい。

シッカートは筆跡鑑定から推測されるよりはるかに多くの切り裂きジャックの手紙を書いたと思われる。通常の筆跡鑑定の基準をシッカートにあてはめることはできない。彼は驚異的な記憶力と多方面にわたる才能をもつ画家で、いくつもの言語を話すことができた。いろいろなものを読み、模倣するのが上手だった。当時、筆跡学に関する本が何冊か出版されていた。切り裂きジャックの手紙の筆跡の多くは、ヴィクトリア朝の筆跡学者がさまざまな職業や性格の人に特有な筆跡としてあげた例に酷似《こくじ》している。シッカートにとって、筆跡学の本にのっている例をまねするのは造作なかった。筆跡学者が切り裂きジャックの手紙を調べていることを、彼はさぞ愉快に思っただろう。

薬品や高感度の装置を使ってインクや絵の具、紙などを分析するのは、科学的な作業だ。しかし筆跡鑑定はそうではない。偽造を見破るときなどには、この技術は威力を発揮する。だが犯人が筆跡を変えるのがうまければ、鑑定するのはむずかしい。切り裂きジャック事件の捜査では、警察は筆跡の共通点をさがすことにこだわり、犯人がいくつもの筆跡を使う可能性については探究しなかった。また手紙に書かれた都市や封筒の消印などの手がかりも調べなかった。もし調べていれば、それらの都市には劇場やレース場など共通したものがあることに気づいたかもしれない。手紙に登場する場所の多くは、シッカートがいったことのある土地だ。

たとえばマンチェスター。シッカートがその町をよく知っていると考える理由はすくなくとも三つある。妻の実家のコブデン家がマンチェスターに土地をもっていた。シッカートの妹のヘレナがマンチェスターに住んでいた。シッカートの友人や仕事のうえでかかわりのある人たちがマンチェスターにいた。切り裂きジャックの手紙にはマンチェスターという地名がでてくるものが何通かある。そのうちのひとつ、一八八八年十一月二十二日にマンチェスターでだしたとされる手紙が書かれた紙には、「A・ピリー&サンズ」という透かしの一部が見られる。同じ十一月二十二日にイースト・ロンドンでだしたとされる手紙にも、「A・ピリー&サンズ」の透かしの一部がある。一八八五年六月十日に結婚したあとウォルター・シッカートとエレンが使いはじめた便箋には「A・ピリー&サンズ」の透かしがはいっていた。

　透かしのことに最初に気づいたのは、バージニア州犯罪科学研究所の所長ドクター・ポール・フェラーラだ。ロンドンとグラスゴーでいっしょに切り裂きジャックとシッカートの手紙の原物を調べているときだ。わたしたちは透かしのはいった手紙のスライドを犯罪科学研究所へ送った。研究所では切り裂きジャックとシッカートの手紙の透かしをそれぞれスキャナーでコンピューターにとりこみ、画像強調をおこなった。画面上で両者を重ねあわせたところ、完全に一致した。

二〇〇一年の九月、バージニア州犯罪科学研究所はイギリス政府から、キューの公文書館に保存されている切り裂きジャックの手紙の非破壊検査をおこなう許可をえた。ドクター・フェラーラ、DNA鑑定専門家のリサ・シアーマイヤー、法科学的画像強調の専門家チャック・プリュイットらがロンドンへいき、切り裂きジャックの手紙を調べた。見こみがありそうな封筒——折りぶたや切手が残っているもの——をえらび、折りぶたと切手を念入りにはがしてスワブ（注：綿棒で採取した標本）をとった。写真を撮り、筆跡も比較した。

さらにロンドン以外の記録保管所へもいき、文書を調べ、ウォルター・リチャード・シッカートと彼の最初の妻エレン・コブデン・シッカート、ジェイムズ・マクニール・ホイッスラー、切り裂きジャックの容疑者とされているモンタギュー・ジョン・ドルイットの手紙や封筒、切手からDNAのサンプルをとった。その一部は、犯人のものではないことを証明するために採取した。もちろんエレンやホイッスラーが容疑者と見なされたことはない。だがシッカートはホイッスラーのアトリエで仕事をしていた。ホイッスラーの手紙を投函し、ホイッスラーや彼のもちものと接触することもあっただろう。ホイッスラーのDNAが——もちろんエレンのDNAも——シッカートの証拠に混じっている可能性がある。

わたしたちはホイッスラーの文書が大量に保管されているグラスゴー大学で、彼の封筒と切手からサンプルをとった。エレン・コブデン・シッカート、そして偶然にもモンタギュー・ジョン・ドルイットの家族の文書が保管されているウエスト・サセックス記録保管所でも封筒と切手からサンプルをとった。残念ながらドルイットの手紙は、彼がオックスフォード大学の学生だった一八七六年に書いたものが一通残っているだけだ。この封筒と切手からとったサンプルには複数の人間のDNAがまじっているため、確実な結論はだせないが、今後再検査がおこなわれる予定だ。

このほかにクラレンス公があて名を書き、封をしたと思われる封筒二枚と、ヴィクトリア女王の侍医ウィリアム・ガル医師の封筒も検査したいと思っている。ドルイットをはじめ、容疑者とされてきたこれらの人たちが、人を殺したり死体を切り刻んだりしたとは思えない。できれば彼らの疑いをはらしたい。DNA検査は可能なかぎり続けるつもりだ。それは捜査に役立つ以外にも意義のあることだと思う。

切り裂きジャックの正体がわかっても、起訴して有罪にする相手はもはやいない。切り裂きジャックと彼を知っていた人たちはみな、何十年も前に他界している。だが殺人に時効はないし、切り裂きジャックの被害者には犯人を裁いてもらう権利がある。また犯罪科学の技術を高めるのに役立つことはなんでも、手間と費用を惜しまずにやるべきだと思う。DNA検査の結果について楽観していたわけではない。だが一回目の検査で五十五のサンプルのどれからもDNAが検出されなかったと知ったときは、驚くと同時にがっかりした。そこで同じ封筒と切手のちがう部分からスワブをとって、もう一度検査をすることにした。

二回目もやはりDNAは検出されなかった。このような残念な結果がでた理由はいくつか考えられる。唾液にふくまれ、封筒の折りぶたや切手についていたはずの十億分の一グラムの細胞が年月により失われたというのがひとつ。二つめは保存のため切り裂きジャックの手紙をラミネート加工したときの熱が、核内DNAを破壊したというもの。三つめは百年にわたって最適とはいえない状態で保存されていたためDNAが分解または崩壊したというものだ。そのほかに接着剤が原因という可能性もある。

十九世紀中期には接着剤は「粘着塗料」と呼ばれ、アカシアの樹皮などの植物性抽出物からつくられていた。ヴィクトリア朝には郵便制度にも産業革命がおこり、一八四〇年五月二日にバースで世界最初の裏のりつき郵便切手ペニー・ブラックが発行された。一八四五年には封筒製造機に特許が与えられた。多くの人は「衛生上」の理由から封筒や切手をなめることをいやがり、スポンジを使った。封筒や切手からとったサンプルによる今回の検査では、科学的なハンディに加えて、だれが封筒や切手をなめ、だれがスポンジを使ったのかがわからないという難点があった。最後の手段として、わたしたちは三回目の検査でミトコンドリアDNAをさがすことにした。

犯罪捜査や実父確定のためにDNA鑑定をするというときは、ふつうは核内DNAのことをさしている。核内DNAは体のなかのほとんどすべての細胞にふくまれており、両親のどちらからも受けつがれる。ミトコンドリアDNAは細胞核の外にある。卵にたとえるとわかりやすい。核内DNAは黄身のなかに、ミトコンドリアDNAは白身にある。ミトコンドリアDNAは母親だけから伝わる。細胞内のミトコンドリアには、DNAの「コピー」が核の何千倍もふくまれている。だがミトコンドリアDNAの検査は非常に複雑で費用がかかる。またDNAが片親からのものなので、結果もかぎられている。

わたしたちは五十五のDNAサンプルをすべてボード・テクノロジー・グループへ送った。これは国際的に高い評価をえている私立のDNA研究所で、軍病理学研究所(AFIP)の依頼によりミトコンドリアDNAを使ってベトナム戦争の無名戦士の身元を確認する作業をおこなったことで知られている。最近では九月十一日におこった世界貿易センターのテロの被害者の身元をつきとめるためにミトコンドリアDNAを使っている。わたしたちが送ったサンプルの検査には何ヵ月もかかった。わたしが絵や紙の専門家といっしょにロンドンの公文書館で調査をおこなっているとき、ドクター・フェラーラから電話があり、依頼した検査が終了したと告げられた。ほぼすべてのサンプルからミトコンドリアDNAが検出されたという。ほとんどの遺伝子は複数の人間のものがまじりあっていた。だが六つのサンプルにはオープンショーの封筒にあったのと同じミトコンドリアDNA塩基配列が見られた。

「マーカー」とは位置のことだ。切り裂きジャックとシッカートの手紙の検査で見つかったマーカーは、ミトコンドリアDNAのDループにおけるDNA塩基配列を示している。ふつうの人にとってそれを理解するのは、相対性をあらわす$E=mc^2$という方程式をわたしが理解しようとするのと同じぐらいむずかしい。DNAとは何か、検査の結果は何を意味するかを一般の人にわからせるのは、DNAの専門家にとってたいへんな難題だ。一致する指紋を図示したポスターを見せられると、陪審員たちはみなうなずき、「わかった」という顔をする。だが血液――あざやかな鮮血や、衣服や凶器、犯罪現場についた乾いた黒い血のことならともかく、その分析の話になると、みな一様に無表情になり、おびえたような目で宙を見つめる。

ＡＯＢ式血液型でさえそうした反応をひきおこす。ましてＤＮＡとなると、もうお手上げだ。ＤＮＡ指紋はスーパーで売っているスープのかんづめのバーコードのようなもの、という使い古された説明もあまり役には立たない。自分の肉体が何十億本ものバーコードで、それを検査すると自分であることがわかるなどと言われてもぴんとこないだろう。そこでわたしはたとえを使う。正直にいうと、わたしは科学や医学に関する小説を書いているくせに、そうした抽象的な概念を理解するのがあまり得意ではない。

切り裂きジャック事件のサンプルは五十五枚の白い紙と考えることができる。紙のうえには何千ものちがった組み合わせの数字が書かれている。ほとんどの紙にはしみや判読不明の数字、複数の人がかかわったことを意味するまじりあった数字が見られる。だが二枚の紙にはそれぞれ単一のドナー、つまりひとりの人間をあらわす数字の配列しかのっていない。一枚はホイッスラーのサンプルで、もう一枚は切り裂きジャックがロンドン病院病理学記念館館長ドクター・トマス・オープンショーにあてた手紙の裏にはられた切手からとったサンプルだ。

ホイッスラーの配列は、切り裂きジャックの手紙やホイッスラー以外の人たちのサンプルの配列とはまったくちがう。だがオープンショーの配列はほかの五件のサンプルにも見られる。現時点でわかっているかぎりでは、それら五件はひとりの人間のものではなく、ミトコンドリアにほかの塩基配列がまじっている。つまりこれらのサンプルにはほかの人のDNAが混入していると思われる。わたしたちの検査にとって最大の障害は、シッカートのDNAが手にはいらないことだ。彼が火葬されたとき、もっとも重要な証拠が灰になってしまった。彼の生前の血液や皮膚、毛、歯、骨などが見つからないかぎり、検査室でシッカートをよみがえらせることはできない。だが彼の断片は見つけたといえるかもしれない。

オープンショーの封筒の裏の切手からえられた、ひとりの人間のDNA塩基配列を比較の基準とした。その配列は１６２９４――７３――２６３。これはミトコンドリアのＤＮＡ塩基配列の位置だ。Ａ７、Ｇ10、Ｄ12などの記号が地図上の位置を示すのと同じだ。これと同じ配列が見られるサンプルは、つぎの五件だ。オープンショーの封筒の表の切手、エレン・シッカートの封筒、ウォルター・シッカートの手紙の封筒、ウォルター・シッカートの封筒の切手、血のようなしみのついた切り裂きジャックの封筒。血痕検査ではこのしみは陽性とでるが、劣化がすすんでいるため人間の血液かどうかは確認できない。

エレン・シッカートの封筒にこの配列が見られるのは、彼女が夫ウォルターと同じスポンジを使って封筒の折りぶたと切手をしめらせたと考えれば説明がつく。ただしふたりがスポンジを使っていたとすればの話だ。あるいはシッカートがエレンにたのまれて手紙を投函したため、折りぶたや切手をなめたり手でさわったりしたとも考えられる。

ほかのサンプルでも、オープンショーの切手からえられたひとりの人間のＤＮＡ塩基配列のなかにあるのと同じマーカーがひとつかふたつ見つかっている。たとえばシッカートが絵を描くときに着ていた白いカバーオールから検出された多数のマーカーのなかには、７３と２６３がふくまれていた。これについては、結果がでたこと自体が驚きだ。カバーオールは約八十年前のもので、洗濯してアイロンをかけ、のりづけしたものがテイト・アーカイヴに寄贈されている。えりや袖口、股、わきのしたからスワブをとってもあまり意味がないと思ったが、いちおうやってみたおかげで結果がえられた。

ミトコンドリアDNAの結果がえられたオープンショーの手紙は、「A・ピリー&サンズ」の便箋に書かれている。消印は一八八八年十月二十九日。ロンドンで投函されている。

封筒のあて名――ドクター・オープンショー
　病理学記念館館長
　ロンドン病院
　ホワイトチャペル

手紙――（原文）
　やあボスあんたのいったとおり
　あれは左の腎臓だぜ。あんたの
　病院のそばでまたやらかそうと
　思ったんだがね。女のかわいらしい
　のどをナイフでかっ切ろうとしたとき

くそいまいましいおまわりがやってきて
お楽しみをじゃまされちまった。
じきにひと仕事して
またはらわたを送ってやるよ。
　切り裂きジャック

悪魔を見たかい
やつは顕微鏡とメスをもって
腎臓をしらべてる
スライドをおっ立てて

これは本物の切り裂きジャックの手紙だと思う。その理由は、あまりに作為的だからだ。乱雑な字はわざとらしく、ペンとインクに透かしのはいった上等な便箋を使う人物の筆跡とは思えない。封筒のあて名はきちんと書かれつづりも正確なのに、手紙はいかにも無学なものが書いたかのように誤字、脱字がはなはだしい。つづりの誤りにも一貫性がなく、「kidny」と「Kidney」、「wil」と「will」、「of」と「o.」が混在している。ステュアート・P・エヴァンズとキース・スキナーの労作、『切り裂きジャック——地獄《ヘル》からの手紙』の指摘によると、ドクター・オープンショーへの手紙の追伸は、一八七一年に出版された本にのっているコーンウォールの民話のつぎの一節にちなんでいるという。

悪魔に乾杯しよう
やつは木のつるはしとシャベルをもって
金をざくざく掘っている
しっぽをおっ立てて

オープンショーへの手紙が無教養な人物、それも被害者の腎臓を切りとって郵便で送りつけるような異常な殺人者によって書かれたとすると、コーンウォールの民話にちなんでいるという説とは矛盾する。シッカートは子供のころコーンウォールを訪れている。ホイッスラーに師事しているときもコーンウォールで絵を描いている。彼はコーンウォールとそこに住む人々をよく知っていたし、博学で民謡やミュージックホールの歌にも詳しかった。ロンドンに住む貧しい、無教養な人間がコーンウォールに滞在したり、スラム街でコーンウォールの民話を読んでいたとは考えにくい。

DNA検査をしても照合できるもの、つまりシッカートのDNAがない以上、オープンショーの手紙に見られるひとりの人間のDNA塩基配列が切り裂きジャックを名のるシッカートのものと断定することはできない。

統計的にいえば、ひとりの人間のDNA塩基配列により人口の九九パーセントを除外することができる。しかしドクター・フェラーラが言うように、「配列が一致したのは偶然かもしれないし、そうでないかもしれない」、ともかくシッカートと切り裂きジャックのミトコンドリアDNA塩基配列が、同一人物のものであることを示す「徴候」があるとは言えるだろう。

本書は二〇〇三年一月に小社より刊行された単行本『切り裂きジャック』を改題し、上下巻に分冊した上巻です。

|著者|パトリシア・コーンウェル　マイアミ生まれ。警察記者、検屍局のコンピューター・アナリストを経て、1990年『検屍官』で小説デビュー。MWA・CWA最優秀処女長編賞を受賞して、一躍人気作家に。バージニア州検屍局長ケイ・スカーペッタが主人公の検屍官シリーズはDNA鑑定、コンピューター犯罪など時代の最先端の素材を扱い読者を魅了、1990年代ミステリー界最大のベストセラー作品となった。他の作品に正義感あふれる女性警察署長とその部下たちの活躍を描いた『スズメバチの巣』『サザンクロス』『女性署長ハマー』など。

|訳者|相原真理子　東京都生まれ。慶應義塾大学文学部卒業。ファディマン『本の愉しみ、書棚の悩み』(草思社)、コデル『本を読むっておもしろい』(白水社)、フィルブリック『復讐する海』(集英社)、コーンウェル『検屍官』シリーズ、『スズメバチの巣』『サザンクロス』(以上、講談社文庫)など、翻訳書多数。

真相《しんそう》(上)　“切《き》り裂《さ》きジャック”は誰《だれ》なのか？

パトリシア・コーンウェル｜相原真理子《あいはらまりこ》 訳

講談社文庫

定価はカバーに
表示してあります

2005年6月15日第1刷発行

発行者――野間佐和子
発行所――株式会社　講談社
東京都文京区音羽2-12-21　〒112-8001
電話　出版部（03）5395-3510
　　　販売部（03）5395-5817
　　　業務部（03）5395-3615

Printed in Japan

デザイン―菊地信義
本文データ制作―講談社プリプレス制作部
印刷―――株式会社廣済堂
製本―――株式会社千曲堂

落丁本・乱丁本は購入書店名を明記のうえ、小社業務部あてにお送りください。送料は小社負担にてお取替えします。なお、この本の内容についてのお問い合わせは文庫出版部あてにお願いいたします。

ISBN4-06-275103-8

講談社文庫刊行の辞

二十一世紀の到来を目睫に望みながら、われわれはいま、人類史上かつて例を見ない巨大な転換期をむかえようとしている。

世界も、日本も、激動の予兆に対する期待とおののきを内に蔵して、未知の時代に歩み入ろうとしている。このときにあたり、創業の人野間清治の「ナショナル・エデュケイター」への志を現代に甦らせようと意図して、われわれはここに古今の文芸作品はいうまでもなく、ひろく人文・社会・自然の諸科学から東西の名著を網羅する、新しい綜合文庫の発刊を決意した。

激動の転換期はまた断絶の時代である。われわれは戦後二十五年間の出版文化のありかたへの深い反省をこめて、この断絶の時代にあえて人間的な持続を求めようとする。いたずらに浮薄な商業主義のあだ花を追い求めることなく、長期にわたって良書に生命をあたえようとつとめるところにしか、今後の出版文化の真の繁栄はあり得ないと信じるからである。

同時にわれわれはこの綜合文庫の刊行を通じて、人文・社会・自然の諸科学が、結局人間の学にほかならないことを立証しようと願っている。かつて知識とは、「汝自身を知る」ことにつきていた。現代社会の瑣末な情報の氾濫のなかから、力強い知識の源泉を掘り起し、技術文明のただなかに、生きた人間の姿を復活させること。それこそわれわれの切なる希求である。

われわれは権威に盲従せず、俗流に媚びることなく、渾然一体となって日本の「草の根」をかたちづくる若く新しい世代の人々に、心をこめてこの新しい綜合文庫をおくり届けたい。それは知識の泉であるとともに感受性のふるさとであり、もっとも有機的に組織され、社会に開かれた万人のための大学をめざしている。大方の支援と協力を衷心より切望してやまない。

一九七一年七月

野間省一

講談社文庫 最新刊

高野和明
グレイヴディッガー
蘇る死者、中世魔女狩り伝説、現代の大量殺人、狙われる骨髄ドナー。サスペンスの傑作！

赤川次郎
恋の花咲く三姉妹〈三姉妹探偵団18〉
綾子は俳優と熱愛!? 夕里子の恋人は浮気!? 珠美は……3人の恋に殺人事件の謎が絡《から》む！

殊能将之
鏡の中は日曜日
梵貝荘《ぼんばいそう》で起こった怪事件に新・旧の名探偵が挑む完璧なミステリ。続編「樒《しきみ》／榁《むろ》」も収録。

田中芳樹
クレオパトラの葬送〈薬師寺涼子の怪奇事件簿〉
絶世の美貌と無謀が怪異渦巻く海で大暴れ！ 豪華客船クレオパトラ八世号は海の藻屑に？

山村美紗
燃えた花嫁
美人デザイナーのドレスを着た首相令嬢が密室で火だるまに。キャサリンの推理が煌めく。

鳴海章
ニューナンブ
過去のある警察官と殺人犯。銃を手に善と悪の境を〝真の正義〟を求め彷徨《さまよ》う男たちの孤独。

司城志朗
恋ゆうれい
死んだ妻の幽霊との奇妙な同居生活。危うい怖さの中にある胸を衝く想い、涙、そして愛。

火坂雅志
骨董屋征次郎手控
若くして目利きの征次郎が骨董に絡んで幕末の世を騒がす難事件に挑む。痛快時代連作集。

法月綸太郎
法月綸太郎の功績
'05年「このミス」1位に輝いた著者による、ロジカルな謎解きが楽しめるミステリ傑作集。

京極夏彦
分冊文庫版 **魍魎の匣**(上)(中)(下)
第49回日本推理作家協会賞受賞の超絶ミステリが装いも新たに、ポケットに入るサイズで。

デイヴィッド・ハンドラー
北沢あかね 訳
殺人小説家
差出人不明の封筒が小説家ホーギーのもとに届く。これが連続殺人事件のはじまりだった。

パトリシア・コーンウェル
相原真理子 訳
真相(上)(下)〈〝切り裂きジャック〟は誰なのか？〉
猟奇的連続殺人犯「切り裂きジャック」の謎に7億の巨費と現代科学でコーンウェルが挑戦。

講談社文庫　エッセイ&ノンフィクション作品

大江健三郎・文 大江ゆかり・画　恢復する家族
大江健三郎・文 大江ゆかり・画　ゆるやかな絆
大橋　歩　すてきな気ごこち
大橋　歩　おしゃれする
沖　守弘　マザー・テレサ〈あふれる愛〉
大前研一　企業参謀　正続
大前研一　やりたいことは全部やれ！
オノ・ヨーコ 飯村隆彦編　ただの私《あたし》
オノ・ヨーコ 南風　椎訳　グレープフルーツ・ジュース
大下英治　激録！　総理への道〈戦後宰相列伝　田中角栄から森喜朗まで〉
大下英治　手塚治虫〈ロマン大宇宙〉
大橋巨泉　岐路
大橋巨泉　巨泉〈人生の選択〉
大橋巨泉　巨泉日記
乙武洋匡　五体不満足〈完全版〉
乙武洋匡　乙武レポート〈'03版〉

小野一光　セックス・ワーカー〈女たちの「東京二重生活」〉
大石　静　ねこの恋
大崎善生　聖《さとし》の青春
大崎善生　将棋の子
小田島雄志　駄ジャレの流儀
大平光代　だから、あなたも生きぬいて
小川恭一　江戸の旗本事典〈歴史・時代小説ファン必携〉
落合正勝　男の装い　基本編
尾上圭介　大阪ことば学
奥村チヨ　幸福の木の花
大場満郎　南極大陸単独横断行
鎌田　慧　自動車絶望工場〈ある季節工の日記〉
鎌田　慧　六ヶ所村の記録〈核燃料サイクル基地の素顔〉
鎌田　慧　家族が自殺に追い込まれるとき
鎌田　慧　津軽・斜陽の家〈太宰治を生んだ「地主貴族」の光芒〉
桂　米朝　米朝ばなし〈上方落語地図〉

加来耕三　信長の謎〈徹底検証〉
加来耕三　龍馬の謎〈徹底検証〉
加来耕三　武蔵の謎〈徹底検証〉
加来耕三　新撰組の謎〈徹底検証〉
加来耕三　義経の謎〈徹底検証〉
加来耕三　日本史勝ち組の法則500〈徹底検証〉
鏡リュウジ　占いはなぜ当たるのですか
川上信定　本当にうまい朝めしの素《もと》
鴨志田　穣 西原理恵子　アジアパー伝
鴨志田　穣 西原理恵子　どこまでもアジアパー伝
角岡伸彦　被差別部落の青春
角田光代　恋するように旅をして
川井龍介　122対0の青春〈深浦高校野球部物語〉
金村義明　在日魂
姜　尚中 『アリエス』編集部編　姜尚中にきいてみた！〈東北アジア・ナショナリズム問答〉
岸本葉子　旅はお肌の曲がり角

岸本葉子　三十過ぎたら楽しくなった！
岸本葉子　家《うち》もいいけど旅も好き
岸本葉子　四十になるって、どんなこと？
岸本葉子　本がなくても生きてはいける
岸本葉子　女の底力、捨てたもんじゃない
岸　惠子　30年の物語
黒柳徹子　窓ぎわのトットちゃん
久保博司　日本の警察〈警視庁vs.大阪府警〉
久保博司　日本の検察
蔵前仁一　旅人たちのピーコート
蔵前仁一　インドは今日も雨だった
久世光彦　触れもせで〈向田邦子との二十年〉
黒田福美　ソウル マイハート
黒田福美　ソウルマイハート 背伸び日記
黒田福美　ソウル マイデイズ
鍬本實敏　警視庁刑事〈私の仕事と人生〉

栗原美和子　せ・き・ら・ら・ら〈生意気プロデューサーの告白〉
けらえいこ　セキララ結婚生活
後藤正治　スカウト
後藤正治　奪われぬもの
後藤正治　牙〈江夏豊とその時代〉
P・コーンウェル　相原真理子訳　真相(上)(下)〈"切り裂きジャック"は誰なのか？〉
小池真理子　映画は恋の教科書《テキスト》
五味太郎　大人問題
小峰有美子　宿曜占星術
小柴昌俊　心に夢のタマゴを持とう
鴻上尚史　あなたの魅力を演出する ちょっとしたヒント
小林紀晴　アジアロード
佐野　洋　推理日記VI
澤地久枝　時のほとりで
澤地久枝　六十六の暦
澤地久枝　私のかかげる小さな旗

沢田サタ編　泥まみれの死〈沢田教一ベトナム戦争写真集〉
佐高　信　日本官僚白書
佐高　信　逆命利君
佐高　信　孤高を恐れず〈石橋湛山の志〉
佐高　信　官僚たちの志と死
佐高　信　官僚国家＝日本を斬る
佐高　信　社長のモラル〈日本企業の罰と罪〉
佐高　信　日本を撃つ
佐高　信　こんな日本に誰がした！
佐高　信　石原莞爾その虚飾
佐高　信　日本の権力人脈《パワー・ライン》
佐高　信　わたしを変えた百冊の本
佐高　信　宮本政於　官僚に告ぐ！
佐高信編　男の美学〈ビジネスマンの生き方20選〉
さだまさし　日本が聞こえる
柴門ふみ　笑って子育てあっぷっぷ

周大荒 渡辺精一訳　反三国志 上・下
篠田節子　寄り道ビアホール
下川裕治　アジアの旅人
下川裕治　週末アジアに行ってきます
下川裕治 桃井和馬　世界一周ビンボー大旅行
下川裕治 篠原明　沖縄ナンクル読本
重松清　世紀末の隣人
島村麻里　地球の笑い方
島村麻里　地球の笑い方 ふたたび
嶋田昭浩　解剖・石原慎太郎
新多昭二　秘話 陸軍登戸研究所の青春
仁賀克雄　切り裂きジャック〈闇に消えた殺人鬼の新事実〉
瀬戸内寂聴　いのち発見
瀬戸内寂聴　無常を生きる〈寂聴随想〉
瀬戸内寂聴　寂聴相談室 人生道しるべ
梅原猛 瀬戸内寂聴　寂聴・猛の強く生きる心

関川夏央　よい病院とはなにか〈病むことと老いること〉
関川夏央　中年シングル生活
M・セリグマン 山村宜子訳　オプティミストはなぜ成功するか
先崎学　フフフの歩
妹尾河童　河童が覗いたインド
妹尾河童　河童が覗いたヨーロッパ
妹尾河童　河童が覗いたニッポン
曽野綾子　自分の顔、相手の顔〈自分流を貫く生き方のすすめ〉
曽野綾子　それぞれの山頂物語 今こそ主体性のある生き方をしたい
曽野綾子　安逸と危険の魅力
そのだちえ　なにわOL処世道
曽我部司　北海道警察の冷たい夏
立花隆　田中角栄研究全記録 全二冊
立花隆　中核VS革マル 全二冊
立花隆　日本共産党の研究 全三冊
立花隆　青春漂流

立花隆　同時代を撃つI～III〈情報ウォッチング〉
高杉良　人事権！
高杉良　濁流(上)(下)〈組織悪に抗した男たち〉
高杉良　局長罷免―小説通産省
高杉良　挑戦つきることなし〈小説ヤマト運輸〉
高杉良　権力必《ひっ》腐《ぷ》〈日本経済混迷の元凶を糾す〉
高杉良　金融腐蝕列島(上)(下)
高橋克彦　1999年〈対談集〉
高橋克彦　書斎からの空飛ぶ円盤
高樹のぶ子　妖しい風景
田中芳樹　書物の森でつまずいて……
田中芳樹 土屋守　「イギリス病」のすすめ
田中芳樹ほか文 皇名月画・文　中国帝王図
田中芳樹 赤城毅　中欧怪奇紀行
高任和夫　依願退職〈愉しい自立のすすめ〉
武豊　この馬に聞いた！

講談社文庫　エッセイ&ノンフィクション作品

武　豊　この馬に聞いた！　最後の1ハロン
武　豊　この馬に聞いた！　フランス激闘編
武　豊　この馬に聞いた！　炎の復活凱旋編
武　豊　この馬に聞いた！　1番人気編
武　豊　この馬に聞いた！　大外強襲編
武田圭　南海、楽園〈タヒチ、バリ、モルジブ……サーフィン一人旅〉
橘　蓮二　狂言の自由〈茂山逸平写真集〉
橘　蓮二 吉川　潮　高座の七人〈当世人気噺家写真集〉
橘　蓮二 監修・高田文夫　大増補版 おあとがよろしいようで〈東京寄席往来〉
高木幹夫 日能研　自分の子どもは自分で守れ〈「学力」ってなんだろう 日能研はこう考える〉
田島優子　女検事ほど面白い仕事はない
竹内玲子　笑うニューヨーク DELUXE
竹内玲子　笑うニューヨーク DYNAMITES
竹内玲子　笑うニューヨーク DANGER
高世　仁　拉致〈北朝鮮の国家犯罪〉
立石勝規　田中角栄・真紀子の「税金逃走」

高木　徹　ドキュメント《ドキュメント》戦争広告代理店〈情報操作とボスニア紛争〉
陳　舜臣　中国詩人伝
ユン・チアン 土屋京子訳　ワイルド・スワン 全三冊
張《チャン》 仁《イン》 淑《スク》　凍れる河を超えて(上)(下)
津本　陽　勇《ゆう》のこと〈坂本龍馬、西郷隆盛が示した変革期の生き方〉
津本　陽　歴史に学ぶ
津本　陽 童門冬二　徳川吉宗の人間学〈変革期のリーダーシップを語る〉
弦本將裕　12動物60分類 完全版 マスコット占い
土屋賢二　哲学者かく笑えり
土屋　守　イギリス・カントリー四季物語〈My Country Diary〉
出久根達郎　たとえばの楽しみ
出久根達郎　いつのまにやら本の虫
出久根達郎　漱石先生の手紙
ドウス昌代　イサム・ノグチ(上)(下)〈宿命の越境者〉
藤堂志津子　愛犬リッキーと親バカな飼主の物語
東郷　隆 上田信絵　【絵解き】戦国武士の合戦心得〈歴史・時代小説ファン必携〉

戸田郁子　ソウルは今日も快晴〈日韓結婚物語〉
豊福きこう　矢吹丈 25戦19勝(19KO)5敗1分
戸部良也　プロ野球英雄伝説
徳大寺有恒　間違いだらけの中古車選び
長尾三郎　虚構地獄　寺山修司
長尾三郎　人は50歳で何をなすべきか
長尾三郎　週刊誌血風録
中島らも　しりとりえっせい
中島らも　さかだち日記
中島らも チチ松村　らもチチ　わたしの半生〈青春篇〉〈中年篇〉
長村キット　英会話最終強化書
長村キット　3語で話せる英会話〈英会話最終強化書2〉
長村キット　こんなときどう言う英会話辞典〈英会話最終強化書3〉
中村天風　運命を拓く〈天風瞑想録〉
夏坂　健　ナイス・ボギー
夏坂　健　ゴルフの神様

講談社文庫　エッセイ&ノンフィクション作品

仲畑貴志　この骨董が、アナタです。
中保喜代春　ヒットマン〈獄中の父からいとしいわが子へ〉
中村うさぎ　中村うさぎの四字熟誤
中村泰子　「ウチら」と「オソロ」の世代〈東京・女子高生の素顔と行動〉
中山康樹　ディランを聴け!!
永井　隆　ドキュメント 敗れざるサラリーマンたち
ニルソン他　松山栄吉訳　生まれる〈胎児成長の記録〉
西村玲子　旅のように暮らしたい。
西村玲子　玲子さんの好きなものに出合う旅
西村玲子　玲子さんのラクラク手作り教室
楡　周平　外資な人たち〈ある日外国人上司がやってくる〉
野口悠紀雄　「超」勉強法
野口悠紀雄　「超」勉強法・実践編
野口武彦　幕末気分
原田泰治　わたしの信州
原田武雄　原田泰治　泰治が歩く〈原田泰治の物語〉

原田宗典　東京見聞録
原田宗典　見学ノススメ
馬場啓一　白洲次郎の生き方
馬場啓一　白洲正子の生き方
林　望　帰らぬ日遠い昔
林　望　リンボウ先生の書物探偵帖
浜なつ子　死んでもいい〈マニラ行きの男たち〉
畠山健二　下町のオキテ
早瀬圭一　平尾誠二 最後の挑戦
林　丈二　フランス歩けば…
林　丈二　犬はどこ?
ハービー・山口　女王陛下のロンドン
原口純子　中国の賢いキッチン
原口純子と中華生活ウオッチャーズ　踊る中国人
はにわきみこ　たまらない女
はにわきみこ　へこまない女

畑村洋太郎　失敗学のすすめ
遙　洋子　結婚しません。
平岩弓枝　極楽とんぼの飛んだ道〈私の半生、私の小説〉
平岩弓枝　ものは言いよう
広田靚子　香りの花束ハーブと暮らし
広田靚子　イギリス花の庭
日比野宏　アジア亜細亜 無限回廊
日比野宏　アジア亜細亜 夢のあとさき
日比野宏　夢街道アジア
平野恵理子　おいしいお茶、のんでる?
深田祐介　決断
藤原智美　「家をつくる」ということ
藤田紘一郎　笑うカイチュウ
藤田紘一郎　空飛ぶ寄生虫
藤田紘一郎　体にいい寄生虫〈ダイエットから花粉症まで〉
藤田紘一郎　踊る腹のムシ〈グルメブームの落とし穴〉

講談社文庫　エッセイ&ノンフィクション作品

藤木美奈子　女子刑務所〈女性看守が見た「泣き笑い」全生活〉
藤波隆之　歌舞伎ってなんだ？〈101のキーワードで読む〉
辺見庸　永遠の不服従のために
堀和久　江戸風流「酔っぱらい」ばなし
堀和久　江戸風流女ばなし
堀田力　壁を破って進め(上)(下)〈私記ロッキード事件〉
星野知子　デンデンむしむし晴れ女
北海道新聞取材班　検証・「雪印」崩壊〈その時、何がおこったか〉
北海道新聞取材班　追及・北海道警「裏金」疑惑
北海道新聞取材班　日本警察と裏金〈底なしの腐敗〉
保阪正康　昭和史七つの謎
保阪正康　晩年の研究
保阪正康　昭和史 忘れ得ぬ証言者たち
保阪正康　昭和史七つの謎 Part2
堀井憲一郎　『巨人の星』に必要なことはすべて人生から学んだ。あ。逆だ。
松本清張　邪馬台国 清張通史①

松本清張　空白の世紀 清張通史②
松本清張　カミと青銅の迷路 清張通史③
松本清張　天皇と豪族 清張通史④
松本清張　壬申の乱 清張通史⑤
松本清張　古代の終焉 清張通史⑥
松本清張他　日本史七つの謎
松田美智子　だから家に呼びたくなる〈松田流「おもてなし術」〉
町田康　へらへらぼっちゃん
町田康　つるつるの壺
町田康　耳そぎ饅頭
三浦綾子　イエス・キリストの生涯
三浦綾子　小さな一歩から
三浦綾子　増補決定版 言葉の花束〈愛といのちの792章〉
三浦綾子　遺された言葉
三浦綾子　愛すること信ずること
宮本輝　ひとたびはポプラに臥す1〜6

水木しげる　コミック昭和史第1巻〈関東大震災〜満州事変〉
水木しげる　コミック昭和史第2巻〈満州事変〜日中全面戦争〉
水木しげる　コミック昭和史第3巻〈日中全面戦争〜太平洋戦争開始〉
水木しげる　コミック昭和史第4巻〈太平洋戦争前半〉
水木しげる　コミック昭和史第5巻〈太平洋戦争後半〉
水木しげる　コミック昭和史第6巻〈終戦から朝鮮戦争〉
水木しげる　コミック昭和史第7巻〈講和から復興〉
水木しげる　コミック昭和史第8巻〈高度成長以降〉
水木しげる　総員玉砕せよ！
宮脇俊三　古代史紀行
宮脇俊三　平安鎌倉史紀行
宮脇俊三　室町戦国史紀行
宮脇俊三　全線開通版・線路のない時刻表
宮脇俊三　徳川家康歴史紀行5000キロ
宮子あずさ　看護婦が見つめた人間が死ぬということ
村上龍　村上龍全エッセイ全三巻〈1976〜1981〉〈1982〜1986〉〈1987〜1991〉

2005年6月15日現在